D1872755

Papa, was ist der Islam?

Tahar Ben Jelloun

Papa, was ist der Islam?

Gespräch mit meinen Kindern

Aus dem Französischen
von Christiane Kayser

Mit 10 Aquarellen von Paul Klee

Berlin Verlag

Klee
Ansicht v Kairuan 1914 43.

Erster Tag

Die Schreckensbilder vom 11. September 2001 haben auch vor unseren Kindern nicht Halt gemacht. Die Kommentare in Funk und Fernsehen zu den Terroristen und ihrer Zugehörigkeit zur arabischen und islamischen Welt beschäftigen und beunruhigen sie.

Meine jüngere Tochter fragte mich:

– Papa, bin ich eine Muslimin?

– Ja, genau wie deine Eltern.

– Bin ich auch Araberin?

– Ja, du bist Araberin, auch wenn du nicht arabisch sprichst.

– Aber du hast doch im Fernsehen gesehen: Die Muslime sind bösartig, sie haben viele Menschen getötet, ich will keine Muslimin sein.

– Und? Was willst du nun tun?

– In der Schulkantine werde ich jetzt auch Schweinefleisch essen.

– Wie du willst. Aber bevor du aufhörst, eine Muslimin zu sein, muss ich dir erst mal erklären, dass die Bösen, von denen du redest, keine wahren Muslime sind. Außerdem weißt du, dass es böse Menschen überall gibt.

– Aber sie haben gesagt, das sind Araber ...

– Man darf nicht alle in einen Topf werfen. Nicht alle Araber sind Muslime. In Ägypten, Palästina, im Libanon und im Sudan zum Beispiel gibt es christliche Araber.

– Ich habe einen alten bärtigen Mann gesehen, der wie Großvater betet. Dann nimmt er ein Gewehr und schießt auf Bilder. Ist das ein Muslim?

– Wenn er wie dein Großvater betet, ja.

– Warum sind die, die das gemacht haben, dann keine wahren Muslime?

– Allah untersagt, genau wie der Gott der Juden und der der Christen, sich selbst zu töten, also den Selbstmord. Er untersagt auch, andere Menschen zu töten. Deshalb sind diese Leute, die in Flugzeuge gestiegen sind, die Piloten mit Messern umgebracht und die Maschinen in die Hochhäuser in New York gelenkt haben, Ignoranten, die die islamische Religion nicht kennen. Und es sind Fanatiker.

– Was ist ein FANATIKER?

– Einer, der immer Recht zu haben glaubt, er will

der Stärkste sein. Wenn du nicht seiner Meinung bist, wird er sehr bösartig.

– Die USA waren nicht ihrer Meinung. Haben sie deshalb die Flugzeuge in die Türme gerammt?

– Das heißt aber noch lange nicht, dass wir Verständnis für ihre Taten aufbringen können. Sie haben etwas Furchtbares getan. Das kann niemand hinnehmen.

– Was hat Amerika ihnen denn angetan, dass sie so grausam geworden sind?

– Amerika, besser gesagt die US-Regierung, hat viele Fehler und Ungerechtigkeiten begangen. Seit zehn Jahren bombardieren sie die irakische Bevölkerung. Viele irakische Kinder sind an den Folgen dieser Bombardierungen gestorben. 1991 ist die irakische Armee in das Nachbarland Kuwait eingedrungen und hat es besetzt. Daraufhin haben die Vereinten Nationen den Irak bestraft. Doch bestraft wurde das Volk und nicht sein Regierungschef. Du siehst, die Dinge sind kompliziert. Es ist nicht so einfach, wie du denkst. Die USA sind eine Großmacht und müssen darauf achten, gerecht zu handeln. Dennoch kann es keine Rechtfertigung für die Massaker vom 11. September geben.

– Aber haben denn die Iraker diese Attentate begangen?

– Nein, es waren Menschen, die sich als Araber und Muslime bezeichnen. Für mich sind es Verrückte.

– Aber wieso sind sie verrückt?

– Als sie noch klein waren und zur Koranschule gingen, hat man ihnen beigebracht, dass Allah sie auffordere, die Feinde des Islam zu töten, und ihnen nach getaner Arbeit zur Belohnung einen Platz im Paradies garantiere.

– Das verstehe ich nicht: Muss man jemanden umbringen, um ins Paradies zu kommen?

– Natürlich nicht. Aber das hat man ihnen eingetrichtert.

– Und die glauben das auch noch! Erklär mir mal, wie man sie dazu bringt …

– Man wiederholt immer wieder das Gleiche, führt als Beispiele Soldaten an, die im Kampf gefallen sind, oder zitiert einen Koranvers: »Und sagt nicht von denen, die um der Sache Gottes willen getötet werden, (sie seien) tot. (Sie sind) vielmehr lebendig (im Jenseits)« (*Sure 2, Vers 154*). Am Ende glauben sie, was man ihnen Tausende von Malen vorgebetet hat.

– Aber das ist ja wirklich bösartig. Leute umbringen, um ins Paradies zu kommen!

– Es beruht alles auf Lügen.

– Aber warum erzählen ihnen ihre Anführer all diese Dinge?

– Weil sie Krieg führen gegen Andersdenkende. Sie lieben das Leben nicht, deshalb opfern sie ihr eigenes Leben, sofern sie möglichst viele andere Menschen dabei mit in den Tod reißen können. Es sind Terroristen.

– Papa, was ist ein TERRORIST?

– Im Begriff Terrorist steckt das Wort »Terror«, das heißt ein großer Schreck, eine gewaltige Angst in einer Gemeinschaft, ein Entsetzen, eine kollektive Furcht, etwas, das Zittern und Panik hervorruft. Ein Horror. Terror hat es in der Geschichte der Menschheit zu verschiedenen Zeiten und an verschiedenen Orten gegeben. Zum Beispiel hatte im Jahr 1794 während der Französischen Revolution »der Terror« die Herrschaft übernommen.

– Ich verstehe nicht, warum Leute, die ins Paradies wollen, sich nicht alleine dorthin aufmachen. Warum töten sie und versetzen alle, die sie nicht umbringen, in großen Schrecken?

– Das weiß ich nicht, meine Liebe. Da geht es mir wie dir: Ich verstehe nicht, wie junge Menschen, die studiert haben, die in der Welt herumgekommen sind, die die Freiheit und den Luxus Amerikas genossen haben, eines Tages beschließen können, ein Massaker anzurichten und dabei ihr eigenes Leben zu opfern. Sie tun es im Namen des Islam. Sie schaden damit ihren Familien, dem Islam und allen Muslimen. Das ist keine Religion mehr, die dahinter steht, denn keine Religion fordert das Töten Unschuldiger. Islam bedeutet, »sich dem Frieden unterordnen«, es bedeutet nicht, »Unschuldige töten«. Das ist ein Wahn, den weder du noch ich verstehen.

– Wusstest du als Kind, dass du ein Muslim bist?

– Ja, ich wurde in einer Familie geboren, in der ich meine Mutter und meinen Vater regelmäßig ihre Gebete verrichten sah.

– Und du selbst?

– Auch ich betete, aber ich war faul, besonders im Winter, wenn man früh aufstehen und sich mit eiskaltem Wasser waschen musste. Denn vor jedem Gebet muss man sich unbedingt waschen, das nennt man die Waschungen.

– Ach, und du hast dich also nicht gewaschen?

– Doch, aber mein Vater merkte, dass ich es oberflächlich tat und das sehr kalte Wasser nicht mochte.

– Was hat er da gesagt?

– Eines Tages hat er meinen Bruder und mich zu sich gerufen und uns gesagt: »Meine Söhne, ihr seid im Islam geboren, ihr schuldet euren Eltern und Gott Gehorsam. Aus Prinzip müsst ihr die fünf täglichen Gebete verrichten und den Fastenmonat Ramadan einhalten. Im Islam gibt es aber keinen Zwang. Niemand hat das Recht, euch zu zwingen, die Gebete zu verrichten, weder Gott noch euer Vater. Das Sprichwort sagt: Am Tag des Jüngsten Gerichts wird jedes Schaf an seiner eigenen Pfote aufgehängt. Daher seid ihr frei. Denkt darüber nach. Das Wesentliche ist, weder zu stehlen, noch zu lügen, noch auf Schwache und Kranke einzuschlagen, keinen Verrat zu begehen, die Besitzlosen nicht zu beschämen, seine Eltern nicht zu misshandeln und vor allem keine Ungerechtigkeit zu begehen. Das ist es, meine Söhne, den Rest müsst ihr selbst herausfinden. Ich habe meine Pflicht getan. Es ist nun an euch, ein Leben in Würde zu führen.«

– Ja und …?

– Ich habe die Hand meines Vaters geküsst, wie ich es jeden Tag tat, und habe mich frei gefühlt. An dem Tag habe ich begriffen, dass ich ein Muslim sein konnte, ohne die Regeln und Gesetze des Islam sehr diszipliniert befolgen zu müssen. Ich erinnere mich auch an unseren Koranlehrer, der sagte: »Gott ist barmherzig!« Er wiederholte: »Gelobt sei Gott, der Barmherzige.« Das bedeutet, dass er zu verzeihen weiß.

– Ja gut, aber hast du denn nun deine Gebete verrichtet oder nicht?

– Hör mal, das ist eine Frage, die man nicht stellen darf. Man soll solche Fragen auch nicht beantworten, denn sie berühren die Freiheit des Individuums. Wenn ich bete, geht das nur mich etwas an. Wenn ich bete, so nicht, um den anderen zu zeigen, dass ich ein guter Muslim bin. Manche gehen in die Moschee, um dort gesehen zu werden, andere, weil sie aufrichtig ihrer Pflicht als Gläubige nachgehen.

– Papa, ich habe Angst. Ich kann nicht einschlafen.

– Beruhige dich. Entspanne dich.

– Ich habe gehört, es gibt Krieg.

– Was für ein Krieg?

– Ich weiß nicht. Sogar in der Schule haben sie gesagt, wir sollen aufpassen. Wenn wir eine Tasche in einer Ecke herumliegen sehen, sollen wir die Lehrerin rufen. Ich weiß nicht. Ich habe Angst.

– Beruhige dich. Das Leben ist trotz alledem schön!

Zweiter Tag

Ich habe mir ausgemalt, wie eine solche Diskussion mit zehn- bis fünfzehnjährigen Kindern und Jugendlichen weiter verlaufen wäre.

Ich habe mir ihre Fragen, ihre Sorgen und ihre Ungeduld vorgestellt. Deshalb will ich hier meinen Kindern, die als Muslime geboren sind, aber auch allen anderen Kindern den Islam und die arabische Zivilisation erklären. Allen Kindern, egal, wo sie leben, aus welchem Land sie stammen, welcher Religion sie angehören, welche Sprache sie sprechen und welche Hoffnungen sie in sich tragen. Das hier soll vor allem keine Predigt und kein Plädoyer sein. Ich versuche nicht, zu überzeugen, ich erzähle so objektiv und so klar wie möglich die Geschichte eines Mannes, der zum Propheten wurde, die Geschichte einer Religion und einer Zivilisation, die der Menschheit sehr viel gegeben hat. Ich habe den Koran erneut gelesen, mich in Bücher von Experten vertieft, in der Enzyklopädie des Islam nachgesehen und versucht, in wenigen Seiten fünfzehn Jahrhunderte Geschichte nachzuerzählen. Meine Hoffnung ist, dass dies ein wenig beitragen kann zum besseren Verständnis der jetzigen Ereignisse.

– Papa, ich habe nicht sehr gut verstanden, was der Islam ist. Ich bin Muslimin, aber was bedeutet das?

– Ich nutze diese Gelegenheit, zu dir und zu allen Kindern, die darüber mehr wissen wollen, zu sprechen. Ich werde euch die Geschichte dieser Religion wie ein Märchen erzählen.

Es war einmal vor sehr langer Zeit, es ist nun mehr als vierzehnhundert Jahre her, ein kleiner Junge, der um das Jahr 570 herum in Mekka geboren wurde. Das ist eine kleine Stadt in der arabischen Wüste. Er hieß Mohammed. Seinen Vater hat er nicht gekannt, der war vor seiner Geburt gestorben. Er ging nicht zur Schule und wuchs auf, ohne lesen und schreiben zu lernen. Damals lebten die Menschen dort von Viehzucht und vom Handel. Dazu durchstreiften Karawanen das Land von Stadt zu Stadt. Mekka war ein wichtiges Handelszentrum. Die Karawanen aus dem Norden, Osten oder Süden passierten Mekka. Nicht weit von dort liegt die Hafenstadt Djeddah.

– Wie heißen die Bewohner dieser Gegend?

– Man nennt sie Araber. Damals waren sie Beduinen, Karawanenführer, Nomaden. Sie lebten in Zelten.

– Was sind BEDUINEN?

– Es sind die Ureinwohner Arabiens. Sie lebten in der Wüste und auf dem Land. In dem Wort steckt das arabische Wort »bada'a«, das so viel wie »erscheinen« heißt. Die Beduinen sind die ersteingesessenen Völker.

– Und NOMADEN?

– Das sind Menschen, die immer unterwegs sind, keinen festen Wohnort haben. Die Beduinen zum Beispiel waren kleine Klan-Gruppen, die ständig auf der Suche nach Weidegründen und Wasserstellen umherzogen. Es waren Nomaden. Sie ritten auf Kamelen.

– Und da wurde der kleine Mohammed geboren! Was tat seine Mutter denn?

– Sie hieß Amina. Auch sie starb, bevor er sechs war. Er wurde sehr schnell zum Vollwaisen. Die Amme Halima hat ihn aufgezogen. Sein Großvater kümmerte sich um seine Ausbildung. Er wuchs in Mekka bei seinen Onkeln auf, die Wächter der Kaaba waren. Die Kaaba ist ein würfelartiger Bau, in dessen Mauer ein berühmter Stein, der Schwarze Stein, eingelassen ist, auf den der Prophet Abraham, der von Gott Geliebte, seinen Fuß gesetzt haben soll. Es ist ein heiliger Stein. Ein Mal im Jahr reisten die Bewohner Arabiens nach Mekka, um den Stein zu berühren. Man nennt das eine Pilgerfahrt. In jener Region lebten damals auch Christen und Juden, das heißt Beduinen, die an einen einzigen Gott glaubten. Die jüdische Religion, auch Judaismus genannt, existiert seit 5762 Jahren. Die christliche Religion gibt es seit 2001 Jahren. Damals gab es noch nicht viele jüdische und christliche Gläubige in jener Gegend. Die meisten beteten eine Vielfalt von Statuen, Steingebilden an, so genannte »Götzen«. Es sollen um die Kaaba herum dreihundertsechzig Götzenbilder aufgestellt gewesen sein. Aber nicht alle Araber beteten Götzenbilder an. Manche glaubten auch an die Kraft der Natur, die Macht des Lichts, die Gewalt des Windes oder die Erinnerung an die Ahnen, das heißt an jene, die vor uns gelebt haben.

– Was hat Mohammed da gemacht?

– Nach den ersten Jahren bei seiner Amme lebte er bei seinem Onkel Abu Talib, einem armen, aber sehr aufrechten, guten Menschen. Mohammed lernte durch ihn den Wert von Treue, Ehrlichkeit und Güte zu schätzen. Er sah ihn als seinen Vater an. Im Alter von fünfundzwanzig Jahren arbeitete Mohammed für eine Frau, die reiche Witwe Chadidscha. Sie besaß mehrere Karawanen. Sie war vierzig Jahre alt, also viel älter als er. Er heiratete sie und sie hatten drei Söhne und vier Töchter. Unglücklicherweise starben alle Söhne bereits im Kindesalter.

– Warum hat er eine ältere Frau geheiratet?

– Das ist Schicksal. Sie besaß Karawanen und übertrug dem jungen Mohammed immer mehr Aufgaben. Eines Tages schlug sie ihm vor, mehr als ihr Bediensteter zu sein. Er war einverstanden.

– Behielt er ein enges Verhältnis zu seinem Onkel, der ihn aufgezogen hatte?

– Ja. Dessen Sohn Ali, der um 600 geboren wurde, wurde ein enger Vertrauter von Mohammed. Er war nicht nur sein Vetter, sondern auch sein Freund. Nach dem Tode Mohammeds wird Ali eine wesentliche Rolle spielen.

– Wie ist Mohammed denn Religionsgründer geworden?

– Er hat es nicht vorher gewusst. Er war ein diskreter, vernünftiger Mensch. Er muss wohl gespürt haben, dass er anders war als die anderen. Er zog sich oft in der Umgebung von Mekka in die Berge zurück. Dort hielt er sich in einer Grotte auf, dachte nach und sinnierte über das Leben, die Natur, das Gute und das Böse. Er meditierte.

– Was bedeutet MEDITIEREN?

– Das heißt tief nachdenken, nach dem Sinn des Lebens forschen. Vor langer Zeit bedeutete dieses

Wort »einen Kranken pflegen«. Mohammed muss in der Stille und Einsamkeit ein Heilmittel für das Leben gesucht haben, in dem manche arm und andere reich, manche gesund, andere schwach und krank sind.

– Aber was konnte er denn für die unglücklichen Leute tun?

– Er dachte nach und suchte nach einem Weg, sie ein wenig glücklicher zu machen. Eines Tages oder vielmehr eines Nachts, als er in einer Grotte auf dem Berg Hira war, hatte er eine Vision. Das heißt, er sah ein sehr starkes, schönes Licht vor sich, das zu ihm sprach. Es war ein mächtiger Engel, der ihm zu lesen gebot. Der Engel sagte: »Lies!« Doch Mohammed, der zu jenem Zeitpunkt vierzig Jahre alt war, antwortete: »Ich kann nicht lesen!« Er war, wie du weißt, ja nicht zur Schule gegangen und konnte daher weder lesen noch schreiben. Da forderte der Engel, Gabriel hieß er, ihn auf, ihm nachzusprechen: »Rezitiere im Namen deines Herrn, der geschaffen hat! Geschaffen hat den Menschen aus einem Blutklumpen. Rezitiere! Dein Herr ist der edelmütigste, der durch das Schreibrohr gelehrt hat, den Menschen gelehrt hat, was er nicht wusste!« (96. *Sure: Der Embryo*) Mohammed war aufgewühlt und zitterte, doch er wiederholte die Worte des Engels Gabriel.

– Was bedeutet BLUTKLUMPEN?

– Das arabische Wort ist »alak«, was so viel bedeutet wie klebrige Masse. Manche haben das Wort mit »geronnenes Blut« übersetzt. In Wirklichkeit handelt es sich um den von Spermatozoiden gebildeten Schleim, den man auch »Sperma« nennt. Die Fortpflanzung der Menschen beruht auf den Spermatozoiden.

– Was heißt SCHREIBROHR?

– Das arabische Wort hier ist »Kalam«, das ist das Schilfrohr, aus dem man einen Stift oder eine Feder zum Schreiben schnitzte.

– Was tat Mohammed nach diesem Besuch? Hatte er Angst?

– Er war sehr beunruhigt. Mohammed war ein einfacher Mensch. Er war aber klug und befürchtete, in eine Falle zu tappen, die ihm vielleicht der Dämon gestellt hätte. Er ging nach Hause und vertraute sich seiner Frau Chadidscha an. Sie suchte in Mekka einen christlichen Gelehrten namens Waraqa ibn Naufal auf und bat ihm um seine Meinung zu dem Geschehnis und um seinen Rat. Dieser weise und gebildete Mann sagte ihr, Mohammed sei der Prophet, auf den die Menschen warteten. Gott wollte den Menschen einen Boten senden, er sollte der letzte Prophet sein, ein Mensch, der zu seinesgleichen sprechen und ihnen mitteilen sollte, was das Licht des Lebens ihm diktierte.

– Warum spricht Gott nicht direkt zu den Menschen?

– Er hat es vorgezogen, einen einfachen, guten Mann zu erwählen und ihm Botschaften zu übermitteln, die er seinen Mitmenschen verkünden soll. Jenes strahlende, herrliche Licht brachte Mohammed die Offenbarung.

– Was ist eine OFFENBARUNG?

– Etwas, das sich zeigt und offensichtlich wird wie die Wahrheit, nach der man sucht. Wenn sie erscheint, sagt man: »Es ist offenbar.« Mohammed wird das Wort Gottes verkünden. Mehrere Jahre lang werden seine Gefährten und Freunde es aufschreiben. Dann wird ein Buch daraus, das Buch des Islam, der Koran.

– Was bedeutet das Wort KORAN?

– Es kommt von dem arabischen Wort »qur'an«, was so viel heißt wie lesen, rezitieren. Zweiundzwanzig Jahre lang empfing Mohammed dieses auf seine Art einzigartige Buch Satz um Satz, später wird man sagen, Vers um Vers. Daraus werden dann Suren, das heißt Kapitel. Der Überbringer der Botschaft Gottes war immer der Engel Gabriel, der ihm als riesiges blendendes Licht erschien.

– Was sagte Gabriel zu Mohammed?

– Er sagte ihm, dass es nur einen Gott gibt, der allmächtig und barmherzig ist. Er sagte ihm, dass man das Wort Gottes treu befolgen, an seine Botschaft glauben muss, dass es ein anderes Leben nach dem Tod gibt, dass der Mensch nach seinen Taten gerichtet werden wird und dass jedes Glied des menschlichen Körpers Rechenschaft über sein Lebenswerk ablegen muss, dass die Guten und Gerechten mit dem Paradies belohnt und die anderen, die Schlechten, die Ungläubigen, die Verbrecher, gerichtet und in die Hölle geschickt werden. Er sagte ihm, man müsse das Gute tun und das Böse meiden, man müsse weise und gläubig sein, vor allem dürfe man keine Steine anbeten und nicht an fremde Götter glauben.

– Aber unsere Lehrerin ist Christin und die lehrt uns genau das Gleiche!

– Ich habe dir ja gesagt, vor dem Entstehen von Mohammeds Religion gab es bereits zwei andere Religionen, das Judentum und das Christentum, die auch einen einzigen Gott verehrten. Auch sie haben Propheten, Moses und Jesus. Die Juden, die Christen und die Muslime müssen »eine einzige Gemeinschaft der Gläubigen« bilden. Der Islam hat sich zu den beiden anderen Religionen gesellt. Man nennt sie monotheistische Religionen oder auch Religionen der Schrift. Die Schrift der Juden ist die Thora, die der Christen die Bibel und die der Muslime der Koran.

– Mono… Ich weiß, was das heißt: ein Einziger!

– Genau! Monotheistisch heißt: an einen einzigen Gott glaubend.

– Wenn wir den gleichen Gott haben, warum bekriegen sich dann die Juden und die Muslime?

– Du verwechselst da etwas. Es sind nicht die Juden und die Muslime, die sich bekriegen. Es sind zwei Völker, die sich um das gleiche Land streiten. Das ist keineswegs ein Religionskrieg. Der Islam erkennt die Propheten der Juden und der Christen an.

– Wie erkennt er die an?

– Die Muslime lieben und verehren ihren Propheten Mohammed, den Boten Gottes, doch sie schulden Moses und Jesus den gleichen Respekt. Vergiss nicht, dass der Islam etwa sechs Jahrhunderte nach Jesus Christus entstanden ist. Er ist also die letzte monotheistische Religion in der Geschichte der Menschheit.

– Und was halten die Christen von den Muslimen?

– Das ist eine lange Geschichte. Doch beachte, dass 1965 im Vatikan in Rom, da, wo der Papst lebt, eine Versammlung wichtiger Kirchenleute stattgefunden hat, die anerkannt haben, dass »der Islam kostbare Werte in sich trägt«. Die Versammlung heißt »Zweites Vatikanisches Konzil«.

– Erklär mir, warum man das, was Mohammed widerfahren ist, Islam oder muslimische Religion nennt!

– Im Wort Islam steckt das Wort Salam, und das bedeutet Frieden. Der Islam ist die Unterordnung unter Gott, das Symbol des Friedens. Es handelt sich um eine Unterordnung unter einen einzigen Gott, einen Gott, dem man Gehorsam, Treue und Loyalität schuldet.

– Wie kann man jemandem gehorchen, den man nicht sieht?

– Als ich noch klein war, hat man mir gesagt, Gott wisse alles, höre und sehe alles. Ich fragte meine Mutter: »Sieht und beobachtet er sogar mich, der ich so klein und schmächtig bin?« Sie sagte zu mir: »Genau, er ist allmächtig. Er sieht dich, und wenn du Dummheiten machst, ärgert ihn das.« Einmal habe ich ein Stück Kuchen gestohlen und habe mich in eine Truhe verkrochen, um es zu essen. Ich sagte mir: »Hier wird Gott mich nicht sehen!« Nachher hatte ich Bauchweh, weil ich den Kuchen ohne Kauen hinuntergeschlungen hatte!

– Wenn du dich gut versteckst, kann Gott dich nicht sehen!

– Eben nicht. Gott hat die Macht, selbst das Unsichtbare zu sehen.

– Die Menschen, die böse sind, Krieg führen und gleichzeitig beten und behaupten, Gott zu verehren, sind Lügner.

– Gott nennt sie »Scheinheilige«. Gott hat Mohammed ein ganzes Kapitel über die Scheinheiligen übermittelt. Er verurteilt sie.

– Erkläre mir das Wort SCHEINHEILIGE.

– So nennt man Leute mit zwei Gesichtern, die die Wahrheit verraten und so tun, als sagten sie die Wahrheit. Der Scheinheilige ist ein Verräter und ein Lügner.

Dritter Tag

– Kommen wir zurück zur Geschichte der Entstehung des Islam.

– Vorher will ich noch wissen, welche Sprache der Engel sprach, weißt du, das wunderbare Licht, das Mohammed umfing …

– Er sprach arabisch.

– Dann ist Gott also Araber!

– Nein, er ist weder Araber, noch Chinese, noch Afrikaner, noch Inder. Gott gehört allen Menschen ohne Ausnahme. Er behandelt alle gleich und macht keinen Unterschied. Das sagt uns seine Botschaft.

– Warum hat er dann nicht englisch gesprochen, denn das sprechen ja fast alle Leute?

– Er hat die Sprache des Landes benutzt, in dem sein Bote Mohammed lebte. Ich habe dir gesagt, dass Mohammed in Arabien lebte und arabisch sprach. Daher sehen die Araber ihre Sprache als die Sprache Gottes an.

– Ist das die gleiche Sprache, die meine Großeltern in Marokko sprechen?

– Nicht ganz. In Marokko spricht man einen arabischen Dialekt im Gegensatz zum Arabisch der Bücher, das auch klassisches Arabisch oder Hocharabisch heißt. Doch wenn deine Großeltern beten, zitieren sie die Verse des Koran in klassischem Arabisch.

– Und wie machen es die Muslime, die keine Araber sind?

– Sie lernen Gebete auswendig und sagen sie auf, ohne jedes Wort zu verstehen. Im Prinzip kennen sie den Sinn. Diejenigen, die nicht arabisch sprechen, lesen den Koran in ihre Sprache übersetzt.

– Wie hat Mohammed es geschafft, dass die Leute seine Geschichte glaubten?

– Nach seiner Frau, die sofort begriffen hatte, dass er die Wahrheit sagte, gab ihm sein Vetter Ali Recht und bekehrte sich zum Islam. Dann Abu Bakr, sein bester Freund, ein hoch geachteter Mann, danach sein Adoptivsohn Zaid, dann Bilal, der schwarzhäutige Diener Abu Bakrs. Bilal war ein Sklave. Mohammed befreite ihn, das heißt, er gab ihm seine Freiheit zurück, und weil Bilal eine sehr schöne Stimme hatte, überließ er ihm den Gebetsaufruf, der fünf Mal am Tag stattfindet. Bilal war der erste MUEZZIN des Islam. Danach dauerte es ein paar Jahre und es gab auch Kämpfe, bis die Mitglieder seines Stamms zum Islam stießen.

– Gab es dort Sklaven?

– Ja, in jeder Gesellschaft hat es Sklaverei gegeben. Als Mohammed Bilal freiließ, gab er ein Beispiel, damit alle, die Sklaven besaßen, nun genauso handelten. Leider sind sie seinem Beispiel nicht gefolgt.

– Waren die Leute nicht seiner Meinung?

– Nein, zumindest nicht alle. Er wurde selbst innerhalb seines Klans bekämpft.

– Er tat doch aber nichts Böses, oder?

– Nein, er war ein guter Mann, doch wie Georges Brassens so schön singt: »Die Leute mögen es nicht, wenn man einen anderen Weg einschlägt als sie.«

– Er hat ihnen doch aber empfohlen, Gutes zu tun und keinen Verrat zu begehen …

– Stimmt, aber du musst verstehen, dass die Leute in Arabien vor dieser Sache mit der Offenbarung, bevor Mohammed also zum Boten Gottes wurde, getan hatten, was sie wollten. Sie hatten keine strikten Regeln einhalten müssen und darüber hinaus Steinstatuen als Götter verehrt. Dann kam Mohammed und sagte ihnen: Gott ist Wahrheit, Gott ist Gerechtigkeit, Gott ist Geisteskraft. Um in Gemeinschaft zu leben, braucht man eine Moral, ein geistiges Leben. Man muss Gott verehren, der sich nicht in einem leblosen Ding verkörpert. Es gibt die Hölle und das Paradies. Die Güter dieser Welt sind unwichtig. Man muss fünf Mal am Tag beten, man muss in sich gehen und an einen barmherzigen Gott glauben usw. …

– Das werden die Leute nicht glauben …

– Du hast Recht, sie glaubten ihm nicht sofort. Hier kam einfach jemand daher und räumte mit ihren Gewohnheiten auf. Deshalb bekämpften sie ihn. Da verurteilte Gott sie in einem Vers des Koran (*Sure* 9, *Vers* 5): »… tötet die Götzendiener, wo (immer) ihr sie findet, greift sie, umzingelt sie und lauert ihnen überall auf! Wenn sie sich aber bekehren, das Gebet verrichten und die Almosensteuer geben, dann lasst sie ihres Weges ziehen! Gott ist barmherzig und bereit zu vergeben.«

– Götzendiener, das sind doch die, die nicht an einen einzigen Gott glauben?

– Sie sind Polytheisten. Sie glauben an mehrere Götter, an Steine, an Steingötzen.

– Was hat Mohammed dann getan?

– Mohammed hatte eine schwere Zeit: Im Jahr 620 verlor er seine Frau und den Adoptivvater, seinen Onkel Abu Talib. Er muss ganz allein gegen die Leute aus seinem Stamm kämpfen, die ihn umbringen wollen, doch ein Klan seiner Familie beschützt ihn. Zusammen mit Abu Bakr und Ali verlässt er Mekka. Sie flüchten vor den Bewaffneten, die hinter ihnen her sind, um sie zu erledigen, in eine Grotte. Im Islam gibt es kein Wunder, wie in den beiden anderen Religionen, doch man erzählt sich, dass der Eingang zu jener Grotte von einem Spinnennetz verschlossen gewesen sei, das Mohammed und seine zwei Gefährten gerettet hat.

– Jetzt verstehe ich, warum du immer sagst, ich soll keine Spinne töten. Das ist ein heiliges Tier!

– Jedenfalls hat dieses feine Netz den Propheten gerettet. Danach zog er in eine andere Stadt namens Jathrib, die später Medina (die Stadt) genannt wurde, und dort war er in Sicherheit. Ab diesem Datum – 622 – beginnt die islamische Zeitrechnung. Man nennt jenes Jahr das Jahr 1 der Hidschra. Heute, im Jahre 2002, haben wir das Jahr 1423 der Hidschra.

– Was ist die HIDSCHRA?

– Das Wort kommt vom Wort »hajara«, das so viel bedeutet wie auswandern, in eine andere Stadt oder ein anderes Land ziehen.

– Also ist Mohammed ein Emigrant!

– Ja, er musste fliehen, um die Botschaften Gottes weiter empfangen und übermitteln zu können. Die islamische Zeitrechnung beginnt. Der Kalender passt sich den Mondphasen an. Deshalb weiß man nie genau vorher, an welchem Tag der Monat beginnt. Es hängt davon ab, wann der Mond wieder sichtbar wird. Von Medina aus organisierte sich der Islam nach und nach und führte fünf Gebote ein, die man auch »die fünf Pfeiler des Islam« nennt. Pfeiler bedeutet Grundlage, Stützmauer, etwas, das ein Haus trägt.

– Was sind GEBOTE?

– Das sind Regeln, Verordnungen, Befehle.

– Was sind denn die Regeln der Muslime?

– Es sind wie gesagt fünf, und wer sie einhält, ist ein Muslim oder eine Muslimin. Die erste Regel ist die SCHAHADA, das Glaubensbekenntnis, das heißt, du musst in deinem tiefsten Innern akzeptieren, dass es nur einen Gott gibt, Allah, und dass Mohammed sein Prophet ist. Diesen Satz musst du aussprechen. Es ist der Satz, den jeder Muslim auf dem Sterbebett sagt. Man sagt dazu: er bekennt. Er hebt den Zeigefinger der rechten Hand und sagt: »Ich bezeuge, dass es keinen Gott außer dem einen Gott gibt und Mohammed sein Prophet ist.«

– Kannst du das auf Arabisch sagen?

– Aschhadu anna La Ilaha illa Allah, Mohammed rassul Allah.

– Kann man das auch sagen, wenn man nicht stirbt?

– Selbstverständlich.

– Sagst du es auch?

– Das kommt vor.

– Wie kann man sich dessen denn sicher sein?

– Das nennt man Glauben, das heißt, du bist dir sicher, es ist für dich offensichtlich. Niemand kann dich vom Gegenteil überzeugen. Ein Muslim muss diesen Satz sagen und darf vor allem nicht daran zweifeln.

– Muss man das auf Arabisch sagen oder reicht irgendeine Sprache?

– Es kommt nicht auf die Sprache an. Was zählt, ist, dass du vom Inhalt überzeugt bist.

– Wenn ich aber nicht überzeugt bin, was passiert dann?

– Dann bist du keine Muslimin. Das ist alles.

– Die zweite Regel?

– DAS GEBET. Es gibt fünf Gebete am Tag: das erste zum Sonnenaufgang, das zweite, wenn die Sonne am höchsten Punkt steht, das dritte ist am Nachmittag, das vierte zum Sonnenuntergang und das letzte zur Nacht. All diese Gebete werden in Richtung Mekka verrichtet.

– Muss man die Gebete genau dann verrichten, wenn der Gebetsruf erschallt?

– Nein, wenn man arbeitet, wenn man keine Zeit hat, seine Waschungen zu vollziehen, kann man die Gebete zusammenlegen und am Abend verrichten. Wenn man krank ist, kann man später beten. Wenn man behindert ist, kann man sie im Geiste absolvieren.

– Du hast schon von den WASCHUNGEN gesprochen. Kannst du mir sagen, warum und wie man sie macht?

– Wer betet, richtet sich an Gott und muss daher sauber sein. Die Waschung ist die Säuberung kurz vor dem Gebet. Doch Achtung! Es gibt zwei Arten von Waschungen: die kompletten, bei denen man sich nach einem Geschlechtsverkehr den ganzen Körper wäscht, und die einfachen, die im Waschen des Gesichts, der Hände, der Unterarme und der Füße bestehen.

– Wer sich fünf Mal am Tag wäscht, ist aber wirklich blitzsauber!

– Da hast du Recht. Mohammed sagte, Körperhygiene sei ein Teil des Glaubens.

– Was rezitiert man in den Gebeten?

– Man lobpreist Gott und seinen Propheten. Man sagt die erste Sure des Koran auf.

– Ist das die, wo der Engel zu Mohammed sagt: »Lies!«?

– Nein, der Koran ist nicht in der Reihenfolge geschrieben, wie die Verse offenbart wurden. Er beginnt mit einer kurzen Sure, die »Fatiha«, Öffnung, heißt. Bei jedem Gebet feiert und preist man nicht nur den Propheten Mohammed, sondern auch die anderen Propheten Abraham, Moses und Jesus. Auf Arabisch nennt man sie: Ibrahim, Mussa und Issa.

– Was ist der dritte Pfeiler?

– Das ist der Fastenmonat RAMADAN. Muslime dürfen dann von Sonnenaufgang bis Sonnenuntergang einen Monat lang weder essen noch trinken. Das lehrt uns Hunger und Durst aushalten und prüft die Widerstandsfähigkeit gegen Versuchungen und die Fähigkeit, über das Leben und das Jenseits nachzusinnen. Einen ganzen Monat lang soll jeder Muslim in erster Linie sich besinnen, beten und über sein Verhalten im Leben nachdenken. Das Ende des Fastenmonats wird mit einem Fest begangen, das Id al Segir heißt.

– Darf niemand mehr essen und trinken?

– Nein, Kinder, die noch nicht in der Pubertät sind, und Kranke brauchen nicht zu fasten. Wenn die Frauen ihre Menstruation haben, fasten sie auch nicht.

– Der nächste Pfeiler?

– Das Almosen, das man auch ZAKAT nennt. Das ist ein Teil des Geldes, das der Gläubige das Jahr über verdient hat. Er verteilt es an Arme und Notleidende. Das muss diskret verlaufen. Er darf sich nicht damit brüsten und auch nicht auf die Armen zeigen, um sie nicht zu beschämen. Allerdings ist dieses System heute überholt, doch die Leute helfen weiterhin Menschen, die in Schwierigkeiten sind.

Der fünfte Pfeiler oder das fünfte Gebot ist die Pilgerfahrt nach Mekka, auch AL HADSCHDSCH genannt. Der Muslim reist nach Mekka und Medina, um das Grab des Propheten Mohammed zu besuchen und um den Tempel der Kaaba herumzugehen, wo er versucht, den berühmten Schwarzen Stein eigenhändig zu berühren. Die Pilgerfahrt findet jedes Jahr zur Zeit des Id al Adha statt, auch Fest des Schafes genannt. Dieses Fest erinnert an das Opfer Abrahams, du erinnerst dich: der von Gott Geliebte, der fast seinen Sohn geopfert hätte, da schickte ihm Gott ein Lamm, das er statt des Sohnes abschlachten konnte. Es ist ein sehr populäres Fest. Für viele Leute ist es die Gelegenheit, einmal Fleisch zu essen.

– Ist es auch eine Regel, kein Schweinefleisch zu essen?

– Der Islam hat viel von den Verboten der jüdischen Religion übernommen. Man soll kein Schweinefleisch essen, weil dieses Tier sich von allen Abfällen ernährt.

– Heute werden die Schweine doch aber sauber aufgezogen, wie die Schafe.

– Stimmt, aber es ist sehr schwer, eine religiöse Regel wieder zurückzunehmen. Das andere Verbot betrifft den Alkohol. Es gibt drei zu verschiedenen Zeiten offenbarte Verse, die den Genuss gegorener Getränke verbieten. Ein betrunkener Mensch verliert die Kontrolle über sich selbst. Der Islam aber besteht auf Selbstbeherrschung sowie auf der Freiheit des Menschen, die ihn verantwortlich macht.

– Wer keinen Alkohol trinkt, ist also frei?

– Die Freiheit besteht darin, dem Menschen die Wahl zu lassen. Der Mensch kann trinken oder es lassen. Doch wenn er trinkt und die Kontrolle verliert, ist er allein verantwortlich für die Folgen.

– Gibt es noch weitere Verbote?

– Ja, Glücksspiele, Zinsen erheben. Diese Verbote werden nicht so strikt befolgt, und viele Leute sehen sie als weniger schwerwiegend an. Hinzu kommt, dass eine Muslimin keinen Nichtmuslim heiraten darf, es sei denn, er tritt zum Islam über.

– Aber die Männer können nichtmuslimische Frauen heiraten, nehme ich an!

– Ja, sie haben das Recht dazu.

– Das ist ungerecht!

– Das hat damit zu tun, dass die Kinder den Namen des Vaters und nicht der Mutter übernehmen. Die islamische Gesellschaft ist ein Patriarchat, das bedeutet, der Vater ist die beherrschende Figur in der Familie. Dadurch ist die Frau dem Mann untergeordnet, also abhängig von ihm, und wird als beeinflussbar angesehen. Wenn sie einen Nichtmuslim heiratet, besteht die Gefahr, dass sie sich vom Islam abwendet und dass die Kinder nach der Religion des Vaters erzogen werden.

Arabische Stadt 1922/29

Vierter Tag

– Von Medina aus, wohin Mohammed geflüchtet ist und wo er sich sicher fühlt, organisiert er seinen Kampf um die Bekehrung möglichst vieler Leute zum Islam, damit es eine solidarische Gemeinschaft von Menschen vereint im Glauben an einen einzigen Gott gibt. Mohammed kämpft gegen die Stämme, die die Muslime bedrohen. Es gelingt ihm sogar, dass selbst seine Feinde schließlich zum Islam übertreten, wie zum Beispiel Abu Sufjan, das Oberhaupt eines feindlichen Stammes. Nach den Berichten von Zeitzeugen war Mohammed ein Mann der Tat, ein militärischer und politischer Führer. Zu dieser Zeit fanden zwei historische Schlachten statt, die von Badr und danach die von Uhud. Mohammed prägte den Begriff der islamischen Umma. Die Umma ist die Gemeinschaft aller Muslime. Im Jahr 632 reiste Mohammed nach Mekka, um die Pilgerfahrt um die Kaaba herum durchzuführen. Man erzählt sich, er habe sich beim

Weggehen zur KAABA gewendet und gesagt: »Wie schön ist doch dieser Tempel! Nur die Würde des Menschen ist noch größer und schöner!«

– Was ist DIE WÜRDE?

– Das ist die Selbstachtung, das Gefühl, den Werten und Tugenden treu zu sein, die uns stolz machen, Menschen zu sein. Würdelosigkeit ist Niedertracht, Fehlen jeglicher Werte, man bemüht sich nicht mehr, ein gerechter, mutiger Mensch zu sein. Der Prophet schätzte die Würde höher als die Schönheit der Kaaba. Das unterstreicht die Bedeutung, die er jener Tugend beimaß, ohne die kein menschliches Wesen auskommt.

– Was geschah dann?

– Er hat gespürt, dass Gott ihn zu sich rufen würde und dass seine Mission zu Ende sei. Er reiste nach Medina zurück, wo er am 8. Juni 632 starb.

– Wer hat seinen Platz eingenommen?

– Niemand. Er war ein Prophet, der letzte Bote Gottes auf Erden. Gott hat ihn den Menschen gesandt und ihn dann zu sich zurückgerufen. Sein Freund und Gefährte Abu Bakr leitete das Gebet im Namen aller Muslime. Ein Teil der Bevölkerung erwählte ihn zum Kalifen, das heißt zum Oberhaupt der Muslime, die die von Mohammed übermittelten Regeln befolgen. Diese Muslime nennt man SUNNITEN. Andere ziehen Ali, Mohammeds Vetter, vor. Die nennt man SCHIITEN. Sie traten in Opposition zu den Sunniten und wollten Ali zum Kalifen haben. Heute sind 10 Prozent der Muslime auf der Welt Schiiten. Im Unterschied zu den Sunniten ernennen sie Vertreter, die Mullahs heißen.

– Im Fernsehen habe ich Muslime gesehen, die sich auf die Brust schlagen. Ist das normal?

– Das sind Schiiten. Sie drücken ihr Leiden aus, indem sie sich wehtun.

– Was für ein Leiden?

– Als ihr Oberhaupt Husain, einer der Söhne Alis, am 10. Oktober 680 in der Schlacht von Kerbala umkam, fühlten sich die Schiiten schuldig, ihn nicht beschützt und gerettet zu haben. Deshalb begehen sie jedes Jahr dieses Datum, um ihre Trauer auszudrücken. Manche übertreiben es: Sie bestrafen und schlagen sich bis aufs Blut. Ab jenem Zeitpunkt verbreitete sich der Islam in der Region und darüber hinaus. Etwa zwanzig Jahre nach Mohammeds Tod sammelte Uthman, der dritte Kalif, die 114 Kapitel (oder Suren), die die bleibende Form des Koran ausmachen – als heiliges Buch, heilige Schrift und göttliches Wort.

– Hast du den KORAN gelesen?

– In deinem Alter und sogar vor der Grundschule besuchte ich zwei Jahre lang die Koranschule, wo wir den Koran auswendig lernten. Ich konnte zwar noch nicht lesen, lernte aber die Verse einen nach dem anderen. Am nächsten Tag musste ich sie aufsagen, und wenn ich mich irrte, bekam ich einen Stockhieb.

– Und deine Eltern sagten nichts?

– Die wussten nichts davon. Jeden Abend strengte ich mich an, mir die Verse einzuprägen, die ich am nächsten Tag aufsagen sollte.

– Hast du denn verstanden, was du da auswendig gelernt hast?

– Nicht alles. Ich wusste, dass man Allah, den einzigen Gott, verehren muss, dass man Gutes tun soll, nicht lügen und stehlen darf, seinen Eltern gehorchen, den Lehrer achten und seine Gebete verrichten muss, sonst bestraft einen Gott. Manchmal bekam ich Angst, besonders wenn Gott von der Hölle und vom Jüngsten Gericht spricht. Doch direkt danach kamen Verse, in denen man daran erinnert wurde, dass Gott barmherzig ist und den Irrenden verzeiht.

– Was hat dir am meisten Angst gemacht?

– Als der Koranlehrer uns beschrieb, was einen Menschen erwartet, der sich umbringt, der Selbstmord verübt und damit dem göttlichen Willen die Stirn bietet. Weißt du, jemand, der sich selbst verbrennt, wird diesen Moment in der Hölle immer wieder durchleben. Wer sich von einem Gebäude stürzt, wird das in der Hölle bis in alle Ewigkeit tun. Das ist schrecklich! Und es hat Gültigkeit, wenn man glaubt.

– Wenn wir also von der heutigen Situation sprechen, wird Gott jene bestrafen, die die Amerikaner umgebracht haben?

– Das glaube ich.

– Warum bist du dir nicht sicher? Stimmt das, was du mir erzählt hast, denn nicht?

– Doch, das ist alles wahr, es gehört zur Geschichte der Menschheit. Aber was Gott betrifft, stellt sich der Mensch manchmal Fragen, besonders angesichts der Leiden, des Unrechts und des Elends in der Welt. Die Christen sagen: »Gott ist Liebe«, die Muslime sagen: »Gott ist Recht und Wahrheit«, aber die Welt wird von Kriegen erschüttert, junge Menschen geben ihr Leben auf, opfern sich, um im Namen des Islam Unschuldige zu ermorden: Da stellt man sich doch Fragen. Es ist normal, dass man sich Fragen stellt. Nur Tiere haben keine Zweifel.

– Was heißt ZWEIFEL?

– Religion ist Glaubenssache. Glauben heißt, das vorgeschlagene Wort annehmen, ihm Vertrauen schenken und treu bleiben. Religionen vertragen weder Zweifel noch Lachen. Zweifel bedeutet, nicht blind zu glauben, mit dem Verstand an Glaubenssachen heranzugehen. Zweifeln heißt, Fragen stellen und auf richtige Antworten hoffen. Logik und Glauben aber sind unvereinbar.

– Hast du denn den Glauben?

– Wenn man logisch denkt, ist es nicht leicht zu glauben, wie das die Anhänger von Religionen tun. Auf deine Frage hin kann ich nur sagen: Ich glaube an etwas Geistiges, etwas zugleich Geheimnisvolles und Schönes, vor dem ich mir sehr klein vorkomme. Man kann es auch Gott nennen. Ich bin eine Winzigkeit angesichts der Unendlichkeit des Universums und ich kann nicht alles verstehen. Ein Philosoph hat gesagt: »Intelligent sein bedeutet, die Welt nicht verstehen.«

– Das habe ich nicht kapiert.

– Hüte dich vor den Leuten, die vorgeben, auf alle Fragen der Menschheit eine Antwort zu haben. Die Fanatiker zum Beispiel behaupten, ihre Religion gäbe auf alles eine Antwort. Das ist unmöglich.

– Und der Islam?

– Diese Religion hat der Welt eine herrliche Zivilisation, eine große Kultur geschenkt. Ihre Besonderheit ist, dass es weder Priester noch Bischöfe oder einen Papst gibt. Es gibt keinen Mittler zwischen Gott und dem Gläubigen.

– Ich weiß, dass es bei den Katholiken Priester gibt, die nicht heiraten dürfen!

– Ja. Ich fand es befremdend, dass meine Schulkameraden auf dem Gymnasium sonntags zur Kirche gingen und bei einem Priester beichteten. Ich sagte ihnen: »Ihr müsst direkt zu Gott sprechen und ihn um Verzeihung bitten, wenn ihr etwas Unrechtes getan habt.« Sie antworteten, das sei ihre Tradition.

– Im Islam gibt es also keine Beichte.

– Stimmt. Drei Jahrhunderte lang, vom neunten bis zum elften Jahrhundert, war die islamische Zivilisation die höchstentwickelte der Welt, was Fortschritt und Kultur angeht. Heute wird sie leider von Verrückten und Ignoranten für sich in Anspruch genommen und durch den Dreck gezogen.

Klee
strassenkaffee in Tunis 1914.55

Fünfter Tag

– Ich will dir von dieser wunderbaren Epoche, dem »Goldenen Zeitalter der Araber«, erzählen, bevor ich zur heutigen Situation komme, die, wie du schon bemerkt hast, für die arabischen und islamischen Länder besonders ungünstig ist. Ich bitte dich also erst einmal, dir einen Traum vorzustellen, in eine wunderbare Welt einzutreten, wo Frieden und Weisheit herrschen, Harmonie zwischen den Menschen und Neugier auf alles Andersartige. In dieser Welt gehen die Kinder gern zur Schule, denn sie lernen nicht nur die Verse des Koran auswendig, sondern sie lernen auch fremde Sprachen, Musik und sogar Naturwissenschaften.

– Ich schließe die Augen und lasse mich in deine Traumwelt führen.

– Der Islam führt die Araber dazu, Allahs Botschaft in der Welt zu verbreiten. Sie ziehen in den Nahen Osten (Syrien, Ägypten, Irak, die man auch den fruchtbaren Halbmond nennt, Mesopotamien), nach Asien,

Persien und Nordafrika. Diese Eroberungen gingen nicht immer friedlich vonstatten. Es gab Schlachten, Widerstand, Tote. Das ist normal, denn die arabischen Armeen besetzten diese Länder, ohne die Bevölkerung nach ihrer Meinung zu fragen. Es waren Eroberungsfeldzüge. Die Araber siedelten sich oft bei den Oasen und Flüssen an, in Lagern, von denen aus sie neue Feldzüge planten. Es gab auch Konflikte innerhalb der islamischen Klans. Nach und nach schufen sich die Araber dank der Ausbreitung des Islam ein großes Reich. Die arabische Kultur entwickelte und bereicherte sich, denn sie öffnete sich für die Welt. Die Sprache des Koran nahm den Platz des Griechischen und des Persischen ein, so dass ein persischer Historiker des zehnten Jahrhunderts schreiben konnte: »Die arabische Sprache ist der Hort aller Kunst der Welt. Sie dringt tief in unsere Herzen ein, ihre Macht bezaubert uns in den verborgensten Winkeln unseres Wesens ...«

– Was heißt HORT?

– In diesem Zusammenhang bedeutet es, dass die arabische Sprache alle Kunst beinhaltet, dass aus ihr die Kunstwerke hervorgehen, aber auch die Dichtung, die Wissenschaften, die Medizin usw., alles, was die Menschheit weiterentwickelt und verbessert.

– Also haben damals alle arabisch gesprochen!

– Nein, nicht alle Menschen, doch zu dem Zeitpunkt war die arabische Sprache genauso wesentlich geworden wie das Griechische in der Antike.

– Ich kenne die Bedeutung des Griechischen im Altertum nicht, doch ich nehme an, dass damals im Gegensatz zu heute an allen Schulen Arabisch gelehrt wurde.

– Alle lernten damals Arabisch, denn die arabischen Gelehrten setzten sich an die Riesenaufgabe, alles Wesentliche, das in anderen Sprachen hervorgebracht worden war, ins Arabische zu übertragen. So übersetzten sie griechische Philosophietexte, persische und indische Schriften.

– Was ist PHILOSOPHIE?

– Das ist die Liebe zur Weisheit und zum Wissen. Die Philosophie lehrt uns denken, und wir entdecken zugleich, was die Menschen vor uns bereits entdeckt und geschrieben haben. Philosophieren heißt, seinen Verstand einsetzen, um bewusst zu denken und Sinn und Zweck seines Lebens zu erkunden.

– Gut, das verstehe ich so halbwegs …

– Es ist wichtig! Die Philosophie ist das Studium unseres Denkens. Deshalb haben die Araber der Menschheit mit ihren Übersetzungen und Veröffentlichungen der griechischen Philosophen einen bedeutenden Dienst erwiesen. Dank der Araber hat die ganze Welt die große griechische Philosophie entdeckt. Die arabische Sprache nahm überall den ersten Rang ein. Naturwissenschaft, Medizin, Mathematik, Geographie, Astronomie, alles wurde auf Arabisch gelehrt. Der Prophet Mohammed, der selbst nicht das Glück gehabt hatte, zur Schule gehen zu können, sagte, jeder Muslim müsse auf der Suche nach der Wissenschaft die Welt durchstreifen.

– Wenn die Muslime ein Land besetzten, mussten die Einwohner dann Arabisch lernen?

– Sie wurden nicht gezwungen, doch wer damals studieren, damit weiterkommen und viele Dinge lernen wollte, der musste arabisch sprechen. Die Sprache des Islam wurde damals zur meistgesprochenen und -geschriebenen Sprache der Welt. Ab dem neunten Jahrhundert war Arabisch die Sprache der Wissenschaften, von Spanien bis China. Die wissenschaftliche Forschung, der Weg zu Entdeckungen und Erfindungen, erfolgte auf Arabisch – sei es in Bagdad, Damaskus, Kairo, im spanischen Granada, in Palermo oder Samarkand. Überall wurden Universitäten und Bibliotheken errichtet, die man Haus der Weisheit nannte.

– Was ist ein HAUS DER WEISHEIT?

– Das ist ein Zentrum, in dem die Menschen zusammentrafen, die ihre Studien vertiefen, mit gebildeteren oder älteren und erfahreneren Leuten diskutieren wollten, ein Ort, wo alles der Aneignung von Wissen und Kenntnissen diente.

– Und da gingen die Leute hin?

– Ja, denn sie verspürten Wissensdurst, lernten mit leidenschaftlichem Eifer. Die Menschen entdeckten die Welt, die unterschiedlichen Kulturen, die verschiedenen Sprachen.

– Wer unterstützte denn die Übersetzungen und Studien?

– Die Kalifen, das heißt die Oberhäupter der Länder, die den Islam verbreiteten. Es gab aber auch Reiche, die die Übersetzung bedeutender Schriften und den Bau von Häusern der Weisheit finanzierten. Sie gaben Geld für die Kultur.

– Wenn alle arabisch sprachen, heißt das, die Europäer auch?

– Nein, doch die Europäer nutzten die Übersetzungen und Entdeckungen der Araber, um ihre eigene Kultur weiterzuentwickeln.

– Wo war die Hauptstadt des arabischen Reiches?

– Das war Bagdad, die bedeutendste Stadt des Irak. Der berühmteste Kalif hieß Harun Al Raschid. In den Erzählungen von »Tausendundeiner Nacht« ist von ihm die Rede. Er lebte zu Beginn des neunten Jahrhunderts. Von Bagdad aus zogen Gelehrte und Studenten auf der Suche nach wissenschaftlichen, medizinischen und philosophischen Manuskripten in die Fremde, um sie dann später ins Arabische zu übertragen.

– Haben die Araber denn nur Bücher übersetzt?

– Keineswegs. Sie schrieben, forschten in den Wissenschaften, zum Beispiel in der Medizin, gründeten Universitäten, MEDERSAS, das heißt religiöse Schulen, bauten Bibliotheken, Moscheen, Paläste usw. Die Übersetzungen bedeuten nur, dass die Araber klug genug waren, sich nicht für allwissend zu halten. Der wahre Wissenschaftler zeichnet sich dadurch aus, dass er immer bereit ist, von anderen zu lernen. Die arabischen Forscher wollten wissen, was die anderen – nichtarabischen, nichtislamischen – Völker dachten und wie sie Wissenschaft, Literatur, Architektur, Handel usw. betrieben.

– Erklärst du mir, wie man übersetzt?

– Es ist nicht leicht, von einer Sprache in eine andere überzugehen. Es geht darum, das in einer Sprache Geschriebene in eine andere zu übertragen. Oft ist das Übersetzen Zeichen einer Neugier. Ein Beispiel: Auch heute übersetzen die Araber die Bücher der Schriftsteller aus Europa, Nord- und Lateinamerika. In arabischen Bibliotheken findest du mindestens so viele, wenn nicht mehr übersetzte als arabische Bücher. Das bedeutet, dass die Araber wissensdurstig sind. Wenn du aber in Amerika in eine Bücherei gehst, wirst du feststellen, dass es dort verhältnismäßig wenige übersetzte Bücher gibt. Kürzlich hat eine Studie ergeben, dass auf hundert in den USA veröffentlichte Bücher nur drei Übersetzungen kommen. Was die anderen Völker denken oder schreiben, interessiert die Amerikaner nicht wirklich.

– Die sind eben mächtig!

– Sie sind vor allem reich und denken, sie bräuchten die Kulturen der anderen nicht.

– Erzähl mir weiter von den Zeiten, als die Araber mächtig waren.

– Ihre Macht war nicht physisch. Auch wenn sie Krieg gegen andere Völker führten: Sie hatten begriffen, dass die wahre Eroberung nicht durch das Militär, sondern durch die Kultur erfolgt.

– Erklär mir genauer, was KULTUR ist.

– Ich bin versucht zu sagen, es ist das, was uns von den Tieren unterscheidet. Kultur kommt von »kultivieren«, die Erde bearbeiten, pflügen und säen. Der Mensch muss essen und trinken und gesund sein, aber er muss auch die Welt um ihn herum, in der er lebt, kennen lernen. Kultur ist ein Produkt unserer Intelligenz, sie hilft uns bei der Entwicklung unseres Geistes, beim besseren Nachdenken und beim Kontakt mit dem, was uns die Vorfahren hinterlassen haben. Die

Kultur überträgt sich von einer Generation auf die andere. Die Gesamtheit ihrer Ausprägungen und Entwicklungen nennt man »Zivilisation«.

– Was haben uns unsere Vorfahren hinterlassen?

– Diese Frage führt mich wieder zurück zur Blütezeit der arabischen Zivilisation. Die Araber haben nicht nur uns anderen Arabern und Muslimen, sondern der gesamten Menschheit viele schöne Dinge hinterlassen: die Algebra (das ist ein arabisches Wort und bedeutet »Abziehen«), die Null, jawohl, die Zahl Null, du denkst vielleicht, das ist nichts, aber es ist die Grundlage der gesamten Mathematik. Auf Arabisch heißt Null »Zifr«, das bedeutet »Leere«, daraus ist auch das Wort »Ziffer« entstanden. Ohne auf die historischen Einzelheiten einzugehen, will ich dir sagen, dass der größte Förderer der Wissenschaftler, Dichter und Forscher der Kalif Al Ma'amun war, der Sohn Harun Al Raschids. Er regierte ein riesiges Reich mit der Hauptstadt Bagdad, in der damals im neunten Jahrhundert mehr als eine Million Menschen verschiedenen Ursprungs und verschiedener Religionen lebten. Zur gleichen Zeit lebten in Rom, der größten Stadt Europas, nur etwa 30 000 Menschen. Es gab in Bagdad Treffen von Forschern aus Indien, China, Europa und der arabischen Welt. Bagdad war die kulturelle Hauptstadt der Welt. Jeden Dienstag zum Beispiel lud der Kalif alle in der Stadt weilenden Wissenschaftler und Gelehrten ein, und den ganzen Tag lang diskutierten sie, dachten nach, tauschten Gedanken und Meinungen aus. Es entstanden weitere »Häuser der Weisheit«. Das aus China importierte Papier ermöglichte den Schreibern, immer mehr Kopien von Manuskripten anzufertigen.

– Wurden die Bücher denn nicht gedruckt?

– Nein, denn die Buchdruckerkunst wurde erst viel später erfunden, im fünfzehnten Jahrhundert. Die ersten Druckversuche machte der 1400 in Mainz geborene Johannes Gutenberg. Doch 794 wurde die erste Papiermühle in Bagdad gebaut. In Ägypten, Palästina und Syrien entstanden weitere Papierfabriken. Neben den Chinesen führten die Araber aus Sizilien und Andalusien die Papierindustrie in Europa ein.

Klee
Motiv aus Hamammet 1914 48

Sechster Tag

– Heute erzähle ich dir vom arabischen und islamischen Einfluss in Andalusien, das liegt in Südspanien. Die Historiker erzählen, dass die nach Andalusien eindringenden Araber entsetzt waren angesichts der kulturellen Armut, die sie trotz des Kulturerbes des römischen Reiches dort vorfanden. Ein Gelehrter hat sogar geschrieben: »Es war das völlige Nichts. Die aus Arabien und Syrien scharenweise eintreffenden Einwanderer stießen auf Bevölkerungen, die ihnen nicht das Geringste geben konnten. Es gab nichts, das man hätte aufnehmen, assimilieren, kopieren oder weiterentwickeln können.« Neben Bagdad wird zur gleichen Zeit Cordoba zum wichtigen kulturellen Zentrum der islamischen Welt werden. Der Kalif Abd Al Rahman der Dritte regierte das islamische Spanien ein halbes Jahrhundert lang. Er machte Cordoba zu einer herrlichen, strahlenden Stadt der Kultur. Der Kalif umgab sich mit islamischen, jüdischen und christlichen Gelehrten und finanzierte ihre Forschungsarbeiten. Zu jener Zeit entwickelten sich die andalusische Dichtung, die zum herausragenden Symbol der Begegnung zwischen Juden- und Christentum wurde, sowie die Liebesliteratur derart, dass sie einen tiefen lang andauernden Einfluss in den westlichen Ländern haben sollte. In seinem Werk »Elsas Narr« beschreibt der französische Dichter Louis Aragon, was er der arabischen Dichtung jener Zeit alles verdankt.

– Was verdankt er ihr denn?

– Diese Dichtung ist lyrisch und dreht sich um die Liebe, die sie besingt und beweint. Louis Aragon war ein großer Dichter des zwanzigsten Jahrhunderts und hat sich sehr von diesen Gesängen inspirieren lassen, um ein langes an seine Frau Elsa gerichtetes Liebesgedicht zu schreiben. Es gab zu jener Zeit auch sehr schöne mystische Dichtung.

– Was heißt MYSTISCH?

– In »mystisch« steckt das Wort Mysterium, Rätsel. Der Mystiker hat eine starke verinnerlichte Beziehung zu Gott, die jede andere Bindung ausschließt. Das ist wie mit dem Glauben, man kann es nicht einfach erklären. Die mystische Dichtung ist der Ausdruck einer tiefen Liebe zu Gott. In der islamischen Welt nennt man die Mystiker »Sufis«. Das kommt von »Sof«, dem arabischen Wort für Wolle. Die Sufis bedeckten sich mit groben Wollkleidern und unterschieden sich so von den anderen Menschen, die feinere, buntere Kleidung trugen. Ein Sufi entsagt den oberflächlichen Dingen des Lebens und widmet sich ganz dem Gebet, der Meditation und der Liebe zu Gott.

– Waren die Sufis Dichter?

– Ja, es gab auch Dichter, die die islamische Zivilisation prägten. Der berühmteste heißt Al Halladsch. Er sagte: »Ich bin der, den ich liebe«, und meinte damit Gott. Eines Tages durchstreifte er die Straßen Bagdads und rief aus: »Ich bin die Wahrheit.« Diese Gleichstellung mit Gott konnte nicht geduldet werden. Er wurde als Besessener angesehen. Er wurde verhaftet und im Jahr 922 zum Tode verurteilt. Er hat unendlich schöne Gedichte hinterlassen. Du musst aber auch wissen, dass Gott den Dichtern misstraut. Im Vers 224 der Sure 26 heißt es: »Und den Dichtern (die ihrerseits von Satanen inspiriert sind) folgen diejenigen, die (vom echten Weg) abgeirrt sind«, das heißt jene, die sich verirrt, den falschen Weg eingeschlagen haben. Es heißt weiter: »Hast du denn nicht gesehen, dass sie in jedem Wadi schwärmen und dass sie sagen, was sie nicht tun (das heißt, dass sie großsprecherisch sind)?«

– Aber du hast mir doch einmal gesagt, am Koran gefalle dir am meisten seine Poesie!

– Der Koran ist in einer sehr schönen Sprache geschrieben. Ich finde sie sehr poetisch. Doch mit den »Dichtern« in den Versen sind die gemeint, die nur sprechen und nicht handeln. Das ist aber kein allgemeiner Wesenszug der Dichter.

– Wenn ich dich richtig verstehe, war damals alles, was gut war, arabisch.

– Sagen wir lieber, die Araber hatten etwas ganz Einfaches begriffen: Wer weiterkommen und sich bereichern will, der darf sein Haus nicht verschließen, im Gegenteil, er muss die Türen und Grenzen öffnen, auf die anderen zugehen, sich für ihre Schriften, ihre Bauten und ihre Werke interessieren. Die Araber wollten vorankommen, und deshalb mussten sie erst das kennen lernen, was andere Länder bereits zu Stande gebracht hatten. Die Intelligenz der Araber bestand darin, bescheiden zu sein und zu verstehen, dass ein Wissenschaftler zuerst einmal »weiß, dass er nichts weiß«. Sie haben die Wissenschaften dort aufgespürt, wo andere sie bereits entwickelt hatten, zum Beispiel in Griechenland.

– Warum Griechenland?

– Weil im dritten und vierten Jahrhundert vor unserer Zeitrechnung, das heißt vor 2400 Jahren, Griechenland der Ort war, wo Gelehrte Mathematik, Astronomie, Medizin und Philosophie entwickelten.

– Alles wurde in Griechenland entwickelt?

– Nein, es gab auch noch Persien, den heutigen Iran.

– Was ist ASTRONOMIE?

– Das Studium der Gestirne und ihrer Position am Himmel.

– Interessierten sich die Araber denn auch für den Himmel?

– Selbstverständlich, denn wer sich auf dem Ozean zurechtfinden will, muss die Position der Sterne am Himmel kennen. Weißt du, die ersten Sternwarten wurden 827 gebaut, eine in Damaskus und eine weitere in Bagdad.

– Haben die Griechen denn die Sterne nicht studiert?

– Doch, im zweiten Jahrhundert lebte dort Ptolemäus, ein großer Astronom. Die Araber haben seine Schriften gelesen und seine Forschungen weitergeführt. Der bekannteste Schüler von Ptolemäus ist Ibn Al Haytam (gestorben 1040). Er war Mathematiker, Physiker und Astronom. Er hat ein tausendseitiges Traktat über die Optik verfasst, das vom dreizehnten bis zum sechzehnten Jahrhundert die Grundlage sämtlicher Arbeiten der westlichen Welt zur Orientierung auf dem Land und auf dem Meer bildete.

– Worum geht es in der OPTIK?

– Um alles, was mit dem Auge, der Sicht und den

technischen Mitteln zu tun hat, die uns erlauben, Dinge zu sehen, die wir mit dem bloßen Auge nicht erkennen können.

– Die Araber waren wirklich auf allen Gebieten stark!

– Ich betone es noch mal: Ihre Stärke beruhte auf ihrer Demut. Sie akzeptierten, dass sie zu lernen hatten und nicht alles wussten. Sie verstiegen sich nicht zu dem Glauben, ihre Zivilisation sei allen anderen überlegen.

– Was ist DEMUT?

– Wenn man bescheiden ist und nicht glaubt, alles zu wissen und von niemandem lernen zu müssen. In Marokko nennt man das »einen kleinen Kopf haben«, das ist das Gegenteil von einem aufgeblasenen Schädel! Der Weise erkennt zuerst, dass er nicht viel weiß und alles von anderen lernen muss.

– Du hast mir gesagt, dass man in manchen arabischen Ländern den Arzt den »Weisen« nennt, »Al Hakim«.

– Das stimmt. Die arabische Medizin war das Werk großer Wissenschaftler und daher von Weisen. Das allererste Krankenhaus wurde um das Jahr 800 von Harun Al Raschid gegründet. In der Geschichte der Medizin gibt es zwei herausragende Namen: Al Razi aus dem Iran und Avicenna, der aus der zentralasiatischen Steppe stammte. Er hat auf Arabisch den »Kanon der Medizin« verfasst, eine fünfbändige Enzyklopädie, die im Westen als »der Höhepunkt und das Meisterwerk der arabischen Wissenschaft« gepriesen wird. Im zwölften Jahrhundert wurde dieses Werk ins Lateinische übertragen und beherrschte das Studium der Medizin in Europa bis zum Ende des siebzehnten Jahrhunderts. Ich zitiere dir seine Definition der Medizin: »Die Medizin ist das Studium des menschlichen Körpers, sei er gesund oder krank, mit dem Ziel, die Gesundheit zu erhalten, wenn sie vorhanden ist, beziehungsweise sie wiederherzustellen, wenn sie verloren gegangen ist.« Zur gleichen Zeit entwickelte ein anderer Arzt, Al Sahraui, die Chirurgie und ihre Instrumente weiter. Erst im dreizehnten Jahrhundert konnte sich die Chirurgie in Europa durchsetzen (die christliche Religion widersetzte sich dieser Wissenschaft), deshalb geriet sie dort ins Hintertreffen. Heute wirft man den Muslimen vor, rückständig zu sein. Doch auch die Christen hatten solche Phasen.

– Ja, aber es stimmt, dass es heutzutage schwer ist, Muslim zu sein!

– Warum sagst du das?

– Nicht ich sage das, ich habe es im Fernsehen gehört.

– Es stimmt. Gerade jetzt werden die Muslime wegen einiger Fanatiker, die sich auf den Islam berufen, falsch verstanden und schief angesehen. Doch bevor wir dazu kommen, möchte ich dir noch einige Beispiele von Muslimen geben, die ihrer Zeit voraus waren.

– Auf welchem Gebiet?

– Zum Beispiel in der Literatur. Du kennst doch die Fabeln von La Fontaine?

– Ja, sicher.

– Dann musst du wissen, dass lange vor La Fontaine, im achten Jahrhundert, ein gewisser Ibn Al Mukaffa indische Geschichten und Fabeln unter dem Titel »Kalila und Dimna« ins Arabische übertragen und überarbeitet hat. La Fontaine hat dieses Buch 1644 in französischer Übersetzung gelesen. Diese Fabeln und die von Äsop bilden die Inspiration und Grundlage für seine eigenen Tierfabeln.

– Dann hat La Fontaine ja abgeschrieben!

– Nein, er hat nicht abgeschrieben, er war klug genug, die Arbeiten anderer zu würdigen, und hat es für die französischen Kinder umgeschrieben. Dennoch hätte es ohne Ibn Al Mukaffa wahrscheinlich keine Fabeln von La Fontaine gegeben.

– Noch ein Beispiel!

– Kennst du die Geschichte von Robinson Crusoe?

– Ja, wir hatten das in der Schule.

– Im zwölften Jahrhundert schrieb ein Mann, der

zuerst in Granada lebte, dann in Tanger und Marrakesch, ein Buch namens »Hay Ibn Yakdan«. Es ist die Geschichte eines Mannes, der allein auf einer einsamen Insel lebt. Er wird ganz allein die großen Wahrheiten des Lebens entdecken, die ihn zu dem führen, was er »Licht Gottes« nennt. Ein von einer Nachbarinsel kommender Prophet bestätigt ihm dann, dass die Religion ebendie Wahrheiten offenbart, die er von selbst entdeckt hat. Dieses Buch ist fünf Jahrhunderte älter als das von Daniel Defoe.

– Noch ein Beispiel!

– Marco Polo ist bekannt für seine Weltreisen. Lange vor ihm hatte der 1304 in Tanger geborene Ibn Battuta zwei Mal die Welt durchstreift. Er hat ein Tagebuch hinterlassen, in dem er seine Erlebnisse erzählt.

– Und weiter?

– Ein Italiener aus Amalfi, Flavio Gioja, wird oft als Erfinder des Kompasses angesehen. Doch es waren arabische Seeleute, die ihm dieses Instrument gezeigt haben, mit dem man sich auf den Meeren und auf den Kontinenten orientieren kann. Von dem zwölften Jahrhundert an beherrschten die arabischen Handelsschiffe die Meere. Erst 1302 sollte Flavio Gioja in einem Buch auf die Existenz jenes von den Arabern erfundenen Instruments stoßen.

– Einverstanden, die Araber haben viele Dinge erfunden. Und heute, erfinden sie da nichts mehr?

– Ich muss dir noch ein wenig mehr aus der Geschichte erzählen, damit du den heutigen Zustand der arabischen und islamischen Staaten verstehen kannst. Wie ich dir erklärt habe, hat damals der Islam die Araber dazu gebracht, durch die Welt zu ziehen, die Botschaft des Propheten zu verbreiten und so viele Menschen wie möglich zur neuen Religion zu bekehren. Als die Araber aber in andere Länder und Erdteile kamen, entdeckten sie dadurch auch andere Welten und bekamen Lust, dazuzulernen und an der Entwicklung der Menschheit teilzuhaben. Genau das geschah auch. Es gab Schlachten, Tote, Konflikte unter den Muslimen. Wenn die Muslime ein Land besetzten, nahmen sie die Christen und Juden dort unter ihren Schutz. Dafür mussten die eine Steuer zahlen.

– Die kauften sich den Schutz?

– Ja, Schutz als Minderheiten.

– Minderheiten?

– In islamisierten Ländern gab es nicht viele Juden und Christen. Die Muslime nennen sie auch »Leute der Schrift«, das heißt Anhänger von Religionen, die auf einer heiligen Schrift beruhen, wie es der Koran für die Muslime ist. Die Juden und Christen waren wenige, folglich Minderheiten. Als Garantie für ihre körperliche und moralische Sicherheit zahlten sie eine Summe direkt an die Staatskasse.

– Warum mussten die denn bezahlen, um mit den Muslimen zu leben?

– Vielleicht wollten die Muslime sie ja dazu bringen, zum Islam überzutreten ... Doch diese Situation hat nicht sehr lange gedauert. Dennoch waren die Taten der Muslime zwischen dem neunten und dem elften Jahrhundert von Intelligenz, Wissen und Kultur geprägt. Nach Avicenna (980–1037), der bis zum siebzehnten Jahrhundert die Lehre in Europa beeinflusste, nach Al Farabi, der eine allgemeine Übersicht der Wissenschaften schuf, kam Averroes. Er war ein bedeutender Mann.

– Bedeutender als die anderen?

– Ja, denn er ging noch weiter als alle seine Vorgänger. Er tauchte ein Jahrhundert nach Avicenna auf, wurde 1126 in Cordoba geboren und starb 1198 im Exil in Marokko.

– Warum ging er denn nach Marokko ins Exil?

– Nun, er war ein Philosoph und hatte das Erbe des griechischen Philosophen Aristoteles aufgenommen und an den Westen übermittelt. Er war auch ein großer islamischer Rechtsgelehrter.

– Was heißt RECHTSGELEHRTER?

– Einer, der das Recht studiert, das heißt die Regeln

und Gesetze, die jeder Gesellschaft zu Grunde liegen. Sie definieren die Kriterien für die Justiz, die Rechtsprechung.

– Also liebte er Weisheit und Gerechtigkeit.

– Er versuchte die Vernunft in den Glauben einzuführen.

– Die Vernunft ist die Logik und der Glaube ist die Intuition, oder?

– Ja, Averroes versuchte dem Glauben eine gewisse Logik einzuimpfen. Doch da merkte er, dass der Islam von Leuten benutzt wurde, die in Wahrheit andere Interessen hatten. Es gab Sekten, Klans von Leuten, die die Debatte verweigerten und vor allem jedweden Beitrag der Fremden ablehnten. Es gab Auseinandersetzungen. Das Haus des Islam war nicht länger das Haus der Weisheit. Averroes verurteilte all das. Die Politiker in Cordoba waren aber nicht seiner Meinung. Er flüchtete und stellte sich unter den Schutz Marokkos. Von dieser Zeit an infizierten Fanatismus und Intoleranz die islamische Zivilisation. Doch das sind nicht die einzigen Merkmale der Dekadenz. Es gab auch noch die ganze Phase der Kreuzzüge.

Klee
Kairuan, vor dem thor 1914 92

Siebter Tag

– Was heißt DEKADENZ?

– Etwas, das sich zerstört, niedergeht, nicht fortschreitet, sondern abfällt, untergeht. Wenn man ein Haus nicht mehr unterhält, nicht mehr bewohnt oder vernachlässigt, fällt es der Zerstörung anheim, es verfällt, nichts funktioniert mehr. Eine Zivilisation ist wie ein großes Haus. Wenn ihre Grundmauern solide sind, ihre Mauern aus festem Stein, wenn die Menschen, die dort ein und aus gehen, ihm neue Reichtümer bringen, es lüften und verschönern, wird es lange Bestand haben. Natürlich ist es komplizierter, aber eine Zivilisation ist eine Art Erbe und gleichzeitig Weiterentwicklung, Befruchtung dessen, was die Vorfahren hinterlassen haben. Man muss eine Zivilisation hegen wie ein schönes altes Haus.

– Die arabische Zivilisation ist nicht gut unterhalten worden?

– Nach ihrer großen Zeit des Ruhms und der Ausstrahlung hat sie Schläge eingesteckt, in erster Linie auf Grund der Spaltungen innerhalb des großen Hauses, der Rivalitäten zwischen den Kalifen; diese Staatsoberhäupter wurden immer gieriger und handelten nicht mehr im Interesse der Gemeinschaft, sondern mehr und mehr im eigenen direkten egoistischen Interesse. Zum Beispiel waren die Kalifate von Bagdad und Cordoba sunnitisch, das heißt, sie standen in der klassischen Tradition des Propheten, während das Kalifat der Fatimiden in Kairo schiitisch war, das heißt, sie waren Anhänger Alis.

– Wie drückten sich diese Spaltungen aus?

– Ab 1055 holten sich die Kalifen zur Verteidigung ihres Herrschaftsgebiets seldschukische Söldner (die aus der heutigen Türkei kamen). Zum Beispiel hinderte die seldschukische Armee die Christen daran, die heiligen Stätten in Jerusalem zu besuchen, und verfolgte sie sogar. Deshalb verloren die Kalifen ihre politische Macht.

– Und dann?

– Papst Urban der Zweite nutzte diese Situation der Spaltung der Araber und der Ankunft der Söldner aus und rief zu den Kreuzzügen gegen die Araber auf. Das war 1096 bis 1099. Zu Anfang reagierte er auf einen Hilferuf des byzantinischen Kaisers, dessen Hauptstadt Konstantinopel von den Seldschuken bedroht wurde. Danach führten die christlichen Armeen ihre eigenen Eroberungsfeldzüge.

– Woher kommt das Wort KREUZZUG?

– Von Kreuz. Das Kreuz ist das Symbol der Christen, denn Jesus ist ja gekreuzigt worden. Ein Kreuzzug ist ein Krieg im Namen des Christentums gegen jene, die sich dieser Religion widersetzen oder ihre Expansion behindern. Zu jener Zeit verbreitete sich der Islam weiterhin überall und gewann auf allen Gebieten an Einfluss. Im Ganzen gab es acht Expeditionen der Christen unter Waffen. Der letzte Kreuzzug fand 1223 statt. 1236 nahmen die katholischen Fürsten Cordoba ein, 1248 Sevilla. Das waren politische und militärische Niederlagen für die arabische und islamische Zivilisation. Allein Granada widerstand. Es war der letzte Stützpunkt der arabischen Zivilisation in Europa. 1492 fiel es an die katholischen Könige. Das war das Ende einer Epoche und einer großen Zivilisation. Die Welt veränderte sich. Im gleichen Jahr 1492 entdeckte Christoph Kolumbus Amerika.

– Was geschah dann mit den andalusischen Arabern?

– Es gab ja dort Muslime, aber auch Juden. Sie wurden gejagt und aus Spanien vertrieben. Wer bleiben wollte, hatte die Wahl zwischen der Taufe und dem Tod.

– Was soll das denn heißen?

– Sie mussten Christen werden oder sterben. Viele entschieden sich für den Übertritt zum Katholizismus. Doch sie wurden trotzdem weiterhin verfolgt, denn im tiefsten Inneren hatten sie ihrem Glauben nicht entsagt. Man nennt sie Morisken. Sie wurden verfolgt und scharenweise aus Spanien deportiert. Das war die Inquisition. Sie endete erst am 22. September 1609. Du musst auch wissen, dass das katholische Spanien, ohne es je anzuerkennen, sich alles aneignete, was die Araber der Region gebracht hatten. Unter den Muslimen, die bei der katholischen Rückeroberung Granadas fliehen mussten, war auch ein Gelehrter, ein Geograph namens Leo Afrikanus. Sein richtiger Name war Hasan Al Wazzan (der Wieger). Er verbrachte mehrere Jahre in Rom bei Papst Leo dem Zehnten (1518). Er lehrte Arabisch und Italienisch, führte ins Arabische übertragene griechische Texte bei Hof ein und übersetzte sie dann ins Lateinische. Er ist ein Symbol eines fruchtbaren Zusammenlebens von Orient und Okzident.

– Was wurde denn aus den Muslimen und Arabern?

– Die arabische Welt wurde isoliert. Sie durfte keine Handelsbeziehungen zu Europa unterhalten. Die arabische Philosophie wurde weiterhin an den europäischen Universitäten unterrichtet, gleichzeitig entwickelte sie sich aber nicht weiter und wurde vor allem nicht mehr in der arabisch-islamischen Welt gelehrt.

– Was lehrte man denn an ihrer Stelle?

– Anstelle der Philosophie, die uns methodisch denken lehrt, Zweifel und Überlegung fördert und unseren Horizont in vielfacher Hinsicht auf das Denken anderer Völker hin erweitert, lehrte man nun ausschließlich die islamische Religion, und neben ihr durfte nichts anderes bestehen. Religion heißt aber Glauben und Ausschluss von Nachdenken und Zweifel. So kamen wir von einer Tradition der Öffnung auf die Welt hin zu einer Isolierung, einem Rückzug auf sich selbst. Das bedeutete eine Verarmung und hatte schwere Folgen für die arabische und islamische Welt. Es dauerte seine Zeit, aber heute sehen wir das Ergebnis. Wer besiegt wurde, leidet lange, sehr lange an den Folgen dieser Niederlage.

– Was geschah denn zwischen dem sechzehnten Jahrhundert und heute?

– Vieles. Doch wir sollten versuchen, zu verstehen, warum die arabische Welt in eine lange Phase des Niedergangs eintrat.

– Was ist der Niedergang?

– Niedergehen heißt, an Niveau und Qualität verlieren. Es ist wie die Dekadenz. Man sieht, wie etwas langsam verfällt.

– Warum also der Niedergang?

– Die Aneignung von Wissen, die Übersetzungen, die Gelehrtentreffen, die philosophische Freiheit, das alles wurde zur Blütezeit von den Fürsten gewollt, finanziert und geschützt. Diese Öffnung entsprach dem Bedürfnis, die Welt zu verstehen, um ein riesiges Reich regieren zu können, in dem nicht nur arabische Völker lebten. Als die Fürsten begannen, sich zu streiten, gab es auch keine politische und finanzielle Unterstützung mehr für die Arbeit der Gelehrten und Philosophen.

– Sag mir den Namen eines arabischen Gelehrten, der diese Epoche geprägt hat.

– Wenn ich nur einen Namen im Gedächtnis behalten dürfte, würde ich den letzten großen arabischen Gelehrten wählen, der ein Werk von universeller Tragweite hinterlassen hat, und das ist Ibn Chaldun. Er hat etwas erfunden, das man heute »Soziologie« nennt, das heißt das Studium der Geschehnisse und Verhaltensweisen innerhalb der Gesellschaft. Er lebte im vierzehnten und Anfang des fünfzehnten Jahrhunderts in Nordafrika (1332–1406). Er studierte die Mentalität und die Verhaltensweisen der Araber. Er beobachtete sie genau und kritisierte sie schonungslos.

Ibn Chaldun war bahnbrechend für Kritik und Veränderung. Er warnte die Kalifen vor unqualifizierten Personen, die Religionsunterricht geben und damit das Volk in die Irre führen und es manipulieren. Er war auch dagegen, dass manche in den Moscheen andere Dinge als den Koran lehrten. Bereits zu seiner Zeit sah er die Gefahr, dass der Islam für Dinge außerhalb der Religion benutzt wird. Er war seiner Zeit voraus, ein Visionär. Zum Beispiel hat er den Einfluss des Klimas auf die Stimmung und die Mentalität der Völker nachgewiesen. Erst Ende des neunzehnten und zu Beginn des zwanzigsten Jahrhunderts schlugen kluge offene Geister in der Tradition Ibn Chalduns Reformen für den Islam vor.

– Was sind REFORMEN?

– Das sind Veränderungen der Regeln und Gewohnheiten beim Ausüben der Religion.

– Kann man denn an der islamischen Religion etwas ändern?

– Es geht nicht darum, an ihre grundlegenden Werte und Prinzipien zu rühren. Doch auch wenn man an ihren Grundlagen festhält, kann man Reformen einführen. Dafür braucht man Mut und Beharrlichkeit. Unter den Reformern gibt es zwei herausragende Gestalten: den Afghanen Jamal Eddin Al Afghani (1897 gestorben) und den Ägypter Mohammed Abduh

(1905 gestorben). Sie setzten sich für den Dialog ein, für Toleranz und vor allem Anpassung an die moderne Welt. Sie sagten, man solle nicht blind übernehmen, was die alten Meister als Verhaltensregeln des Islam aufgestellt hatten. Der Islam sei zu einer früheren Zeit entstanden und jetzt lebe man in der Moderne. Der Prophet selbst habe sich ja auch seiner Zeit angepasst. Sie bezogen sich bei ihren Veränderungsvorschlägen für die islamische Welt auf einen Vers des Koran, der lautet: »Siehe, Allah verändert nicht sein Verhalten zu einem Volk, ehe es nicht seiner Seelen Gedanken verändert« (*Sure 13, Vers 11*). Das bedeutet aber auch, dass, wenn die Muslime heute in der Welt schlecht angesehen sind, es nicht immer die Schuld der anderen, der Nichtmuslime ist. Die Muslime selbst müssen das Schlechte und Kranke in ihrer Gesellschaft verändern wollen. Auch wenn Nichtmuslime den islamischen Völkern Leid zugefügt haben, dürfen wir ihnen nicht alles, was in unseren Ländern schlecht läuft, in die Schuhe schieben. Die Verantwortung liegt auf beiden Seiten. Die Kreuzzüge liegen geraume Zeit zurück und die Kolonialzeit auch. Wenn einige junge Muslime gewalttätig und fanatisch geworden sind, bedeutet das unter anderem, dass sie eine schlechte Erziehung hatten, dass wir sie unwissenden, skrupellosen Leuten überlassen haben. Man hat ihnen die

Liebe zur Weiterentwicklung, zur Kultur und zum Leben nicht beibringen können oder wollen. Armut und Unwissenheit konnten sich ausbreiten. Angst vor jeder Art Freiheit grassiert, Korruption und Unrecht wachsen ungehindert an. Da haben sich diese Jugendlichen der Religion zugewandt, die sie aber verkennen. Der Koran sagt: Sie haben sich verirrt. Sie irren sich. Die Wurzel des Übels steckt nicht immer bei den anderen.

– Was sind SKRUPEL?

– Weißt du, wie ein ganz kleiner Stein heißt, der in deinen Schuh eindringt und dich beim Gehen behindert?

– Nein, vielleicht nerviger kleiner Stein?

– Man nennt ihn auf Französisch »Skrupel«, denn er ist das winzige Sandkorn, das den guten Menschen am Schlafen hindert. Diese Kleinigkeit kann ein Gesetz, eine Regel oder ein Prinzip sein. Skrupellose Menschen schlafen problemlos. Die Missachtung von Prinzipien juckt sie nicht.

1921 / 119 Tempel

Achter Tag

– Was sind die bedeutendsten Ereignisse in der arabischen Welt zu Beginn ihres Niedergangs?

– Vom arabisch-islamischen Reich wird es zum ottomanischen Reich, das heißt dem Reich der Türken. Die Türken ließen sich in Ägypten, im Libanon, in Syrien, im Iran, auf dem Balkan, in Tunesien und Algerien nieder. Marokko widersetzte sich und entging ihrer Oberhoheit. Das sechzehnte Jahrhundert war der Höhepunkt der ottomanischen Militärmacht. Der Islam war Staatsreligion. Im neunzehnten Jahrhundert erfolgte der Niedergang des ottomanischen Reiches. Nach dem Ersten Weltkrieg entschied sich die Türkei, ein moderner Staat zu werden und Religion und Politik zu trennen. 1922 wurde das Kalifat abgeschafft, das bedeutet, es gab kein geistiges und politisches Oberhaupt aller Muslime mehr. Dank Mustafa Kemal wurde die Türkei laizistisch: Kirche und Staat wurden getrennt.

– Was bedeutet LAIZISTISCH?

– In diesem Zusammenhang bedeutet es, nicht religiös, nicht konfessionsgebunden zu sein.

– Heißt das, dass man nicht an Gott glaubt?

– Nein, man kann an Gott glauben und laizistisch sein. Laizismus bedeutet, die Religion nicht einzusetzen, um das Leben der Menschen gesetzlich zu regeln. In Frankreich wurde der Laizismus am 9. Dezember 1905 offiziell, denn da wurde die Trennung von Kirche und Staat gesetzlich verankert. Zum Beispiel dürfen hier in den öffentlichen Schulen die Vertreter der verschiedenen Glaubensrichtungen nicht ihren Glauben unterrichten. Sie haben aber das Recht, eigene Schulen zu gründen. Es gibt Kirchen, Synagogen und Moscheen. Jeder hat das Recht, dort zu beten, wo er will. Der Staat mischt sich nicht in die Religionsausübung ein. Die Türkei war das erste islamische Land, das die Trennung von Kirche und Staat vollzog.

– Ist das wichtig?

– Wenn man sieht, was heute geschieht, ist es sehr wichtig, Religion und Politik voneinander zu trennen. Solange es keine Trennung zwischen beiden gibt, entstehen Probleme. In Frankreich können die Muslime nach den Gesetzen ihrer Religion leben, müssen aber zugleich die Gesetze der Republik einhalten.

– Wie geht das?

– Kannst du dich an die marokkanischen Mädchen erinnern, die mit Kopftuch zur Schule kamen?

– Nein, aber erzähl es mir.

– Einige Lehrer wollten sie nicht in die Klasse lassen, denn Frankreich ist ein laizistisches Land, und sie fanden es falsch, dass jemand seine Religionszugehörigkeit in der Schule herausstreicht.

– Und was geschah dann?

– Es gab viele Diskussionen. Schließlich verzichteten einige Mädchen auf das Kopftuch. Andere wurden von ihren Eltern von der Schule genommen. Es war auf jeden Fall falsch, sie um die Ausbildung zu bringen.

– Letztens habe ich im Fernsehen von oben bis unten verschleierte Frauen gesehen, die sahen aus wie Gespenster …

– Das waren afghanische Frauen, die von den Männern im Namen des Islam misshandelt werden.

– Verlangt denn der Islam, dass sich die Frauen am ganzen Körper verschleiern?

– Nein. Du redest vom Schleier, der in der arabischen Welt »Hijab« und im Iran »Tschador« heißt. Im Koran steht ganz einfach: Eine Frau, die betet, sich also an Gott wendet, muss ihren Kopf bedecken und Kleidung tragen, die ihren Körper nicht betont. Das gibt es auch bei Christen und Juden. Frauen, die sich aufreizend kleiden, zum Beispiel in Minirock oder durchsichtiger Bluse, oder ihr Haar frei fallen lassen, dürfen auch nicht in Kirchen oder Synagogen. Die Musliminnen dürfen in die Moschee gehen, sich aber nicht unter die Männer mischen. Damit will man Unruhen und Zwischenfälle vermeiden. Ein Ort des Gebets ist kein Ort des Zusammentreffens der Geschlechter.

– Also spricht Gott vom SCHLEIER!

– Ja, in der Sure 24 (»Das Licht«), Vers 31 rät er den gläubigen Frauen, »dass sie ihre Blicke niederschlagen« und »dass sie ihren Schleier über ihren Busen schlagen«. In der Sure 33, Vers 59 sagt er dem Propheten Folgendes: »Prophet! Sag deinen Gattinnen und Töchtern und den Frauen der Gläubigen, sie sollen (wenn sie austreten) sich etwas von ihrem Gewand (über den Kopf) herunterziehen. So ist es am ehesten gewährleistet, dass sie (als ehrbare Frauen) erkannt und daraufhin nicht belästigt werden.« Das bedeutet, dass sich die Frauen der Gläubigen von den tugendlosen Frauen unterscheiden sollten.

– Warum redet Gott denn von »Gattinnen«? Hatte der Prophet mehrere Frauen?

– Im Islam kann ein Mann vier Frauen heiraten. Das nennt man Polygamie.

– Ich weiß, mono bedeutet ein, poly mehrere. Aber das ist doch ungerecht!

– Da hast du Recht, es ist ungerecht. Weißt du, wenn man den Koran genau liest, stellt man fest, dass es für einen gläubigen Menschen und guten Muslim unmöglich ist, polygam zu sein, denn als Bedingung wird angegeben, dass er seine Frauen in gleicher Weise lieben muss, das heißt mit jeder gerecht und fair sein muss. Das ist aber unmöglich. Man kann nicht gleichzeitig für vier Frauen die gleiche Liebe empfinden. Gezwungenermaßen zieht man immer eine vor und ist also ungerecht. Heute ist die Polygamie im Absterben begriffen, denn die Frauen erobern sich nach und nach ihre Rechte, nicht in allen islamischen Ländern, aber in manchen wie Tunesien, wo die Polygamie verboten ist. Heutzutage sind weder der Schleier im Stil der Taliban noch die Polygamie weiter zumutbar.

– Ich hoffe, die Frauen haben gegen all das aufbegehrt!

– Ja, aber nicht immer und nicht alle gleichzeitig. Zum Glück kämpfen in islamischen Ländern wie Ägypten, Marokko oder Algerien Frauenvereinigungen für die Änderung des Familiengesetzes und für Gleichberechtigung von Mann und Frau. Das ist nicht einfach, denn selbst wenn die Gesetzestexte heute alle geändert würden, würde es Zeit brauchen, bis die Umwälzung der Gewohnheiten sich in den Verhaltens- und Denkweisen verankert. Ein guter Muslim sollte aber ein gerechter Mensch sein, daher müsste er eigentlich akzeptieren können, dass Frauen im Alltag die gleichen Rechte zustehen wie ihm. Andererseits weise ich dich darauf hin, dass es im Islam keine Schande oder Scham ist, über Sexualität zu sprechen. Auf Arabisch sagt man: »La Haya'a fi dine.«

– Was heißt das denn?

– Das bedeutet, dass der Islam ohne Umschweife von den Beziehungen zwischen Mann und Frau spricht. Als ich ein Teenager war, habe ich ein kleines Buch, »Der duftende Garten«, gelesen. Es wurde im fünfzehnten Jahrhundert von einem Religionsgelehrten aus Tunesien, dem Scheich Nafzawi, verfasst. Es ist ein Sexualkundebuch für junge Muslime. Aber ich gebe zu, es wendet sich in erster Linie an Jungen, nicht an Mädchen. Der Scheich erklärt die Empfehlungen des Islam zur Sexualität.

– Kommen wir zur Geschichte zurück.

– Also, nach dem Untergang des türkischen Reiches kamen nun die Europäer mit Kind und Kegel und ließen sich mit Waffengewalt in Ländern nieder, in die man sie nicht eingeladen hatte: Die Franzosen machten sich 1830 Algerien zu Eigen, die Engländer 1882 Ägypten, die Franzosen eroberten dann Tunesien und errichteten 1912 in Marokko ein Protektorat.

– Warum zogen die denn in all diese Länder?

– Das ist die so genannte Kolonisierung. Kolonisieren bedeutet, Kolonien in fremde Länder einpflanzen, das heißt das Land gewaltsam besetzen und Gesetze und Regeln zur Unterwerfung der lokalen Bevölkerung einführen. Das ist Unterjochung.

– Das ist ungerecht!

– Ja, es ist brutal und ungerecht. Doch man hat die arabischen und islamischen Länder nur besetzen können, weil sie im Niedergang begriffen waren. Das ist wie ein kranker Körper, der sich nicht wehren kann und über den dann alle möglichen Krankheiten herfallen.

– Haben sich die Leute aufgelehnt?

– Ja, nach einigen Jahrzehnten sind sie aufgewacht. Der furchtbarste Unabhängigkeitskrieg war der Algeriens von 1954 bis 1962. Es gab Hunderttausende von Toten auf beiden Seiten, und die in Algerien geborenen und dort lebenden Franzosen wurden verjagt.

– Hat der Islam bei diesen Kriegen eine Rolle gespielt?

– Ja, der Islam hat als Religion und Kultur alle Kämpfer zusammengeschweißt. Er hat sie solidarisch gemacht. Doch es kam nicht zu einem Religionskrieg. Nach der Unabhängigkeit hat es viele politische Umwälzungen in diesen Ländern gegeben.

1914 56

1914 56 Zwei orientalische aquarelle

Neunter Tag

– Woher kommt die Gewalttätigkeit der Muslime?

– Nicht alle Muslime sind gewalttätig. Man soll nie verallgemeinern. Merke dir, keine Religion ist ganz friedlich oder ganz kriegerisch. Im Koran gibt es viele Verse, die Liebe, Gerechtigkeit, Frieden unter den Menschen, Vergebung und Weisheit predigen, daneben stehen Verse, die zum Kampf aufrufen. Gewalt gibt es überall. Heute bildet die Gemeinschaft der Muslime kein Reich mehr, das gab es nur zu Beginn des Islam. Die Muslime sind über alle Kontinente verstreut. Ich kann mir nicht vorstellen, dass ein Chinese die gleiche Auffassung von der Ausübung des Islam hat wie ein Marokkaner, ein Afrikaner oder ein Europäer, der zum Islam übergetreten ist. Nach dem Tod des Propheten gab es Gewalt und Kriege. Das kommt daher, dass der Islam als Religion nicht vom Alltagsleben losgelöst ist. Er kümmert sich um das Verhalten des Menschen in der Gesellschaft, um seine Moral, um die Organisierung und Führung des Gemeinwesens. Das nennt man Politik. Deshalb konnte der Imam Chomeiny, der 1978 im Iran den Schah stürzte und eine islamische Republik einführte, sagen: »Der Islam ist Politik oder er ist nichts.« Der Islam regelt das Leben der Menschen auf direktere Weise als es Christen- und Judentum tun. Das öffnet Tür und Tor für Kämpfe und Gewalt. Politik ist Machtkampf. Wenn dieser Kampf, wie im Iran, im Namen des Islam geführt wird, wird die angewandte Gewalt logischerweise dem Islam zugeschrieben.

– Genau das will ich doch wissen und verstehen, denn heute steht der Islam wegen der Attentate im Mittelpunkt.

– Du hast Recht. Deshalb musst du Geduld haben und dich noch einmal auf die Geschichte des Islam einlassen. Ich muss dir von einer Sekte erzählen, die man die HASCHASCHIN nannte. (Eine Sekte ist eine Gruppe von Leuten, die blindlings einem Meister folgen, den man auch Guru nennen kann.) Das arabische Wort »Haschisch« bedeutet Gras und davon abgeleitet Droge. Ein Haschaschin nimmt eine Droge, er raucht Gras oder Marihuana. Diese Sekte existierte im elften und zwölften Jahrhundert im westlichen Asien, das heißt in Syrien und Persien. Ihr Führer Hasan As Sabba, auch »der Alte vom Berge« genannt, war ein starrsinniger, harter und autoritärer Muslim. Er starb 1166. Als er Guru geworden war, ließ er sich in der Festung Alamut, in der Nähe des Kaspischen Meeres, nieder und entsandte von dort aus seine Truppen zu Strafexpeditionen gegen die Herrschenden. Bevor sie loszogen, versetzte er sie mit indischem Hanf in einen Rauschzustand. Könige und Fürsten zitterten vor ihm. Er operierte mit Terror, Massakern und Hass. Aus dem Wort Haschaschin wurde unter anderem in Französisch, Englisch und Italienisch das Wort für Mörder: »assassin, assassino«.

– War der »Alte vom Berge« ein schlechter Muslim?

– Er war Schiite und wollte geheimnisvoll bleiben. Manche vergleichen die Selbstmordattentäter von heute mit den Anhängern des »Alten vom Berge«. Doch ich betone noch mal: Das alles hat mit dem Islam nichts zu tun.

– Ich habe verstanden: Islam bedeutet, sich Gott und dem Frieden unterordnen, keine Verbrechen begehen. Aber die Attentäter sind doch Muslime!

– Ja, doch die Muslime sind nicht mit dem Islam gleichzusetzen!

– Was heißt das jetzt wieder?

– Es bedeutet, dass eine Religion nicht von allen, die sich auf sie berufen, gleich interpretiert und verstanden wird.

– Gut. Was geschah nun weiter?

– Der Islam verbreitete sich weit in Afrika und Asien. Weißt du, dass das größte islamische Land in Asien liegt und Indonesien heißt? Im siebten Jahrhundert gab es ein paar hundert Muslime, heute sind es mehr als eine Milliarde. Stell dir das mal vor!

– Eine Milliarde Muslime in der Welt! Warum bekennen sich denn so viele Leute zum Islam?

– Weil es eine Religion mit einfachen Prinzipien ist: ein einziger Gott, der alles anordnet. Um Muslim zu werden, genügt es zudem, vor Zeugen die Formel der Schahada herzusagen: »Ich bezeuge, dass es keinen Gott außer dem einen Gott gibt und Mohammed sein Prophet ist.« Das ist einfach.

– Sind denn alle Araber Muslime?

– Zuerst musst du wissen, dass die Araber heute eine Minderheit im Islam darstellen. Die Asiaten sind weitaus zahlreicher. Dann sind auch nicht alle Araber Muslime. In Ägypten zum Beispiel gibt es christliche Araber (sie heißen Kopten und machen 15 Prozent der Bevölkerung aus). Im Libanon leben Christen, die Maroniten genannt werden. Sie lesen die Messe auf Arabisch, und das ist sehr schön.

– Und in Frankreich?

– Der Islam ist die zweitstärkste Religion in Frankreich. Man schätzt die Zahl der Muslime auf vier

Millionen. Die meisten sind Nordafrikaner, die anderen Türken, Westafrikaner, Pakistani, Ägypter usw. Da es im Islam keine verfasste Geistlichkeit gibt, schaffen sie es nicht, einen einzigen Vertreter für all diese Gemeinschaften zu benennen.

– Glaubst du denn, dass die Muslime und die Christen sich verstehen können, um hier in Frankreich und anderswo in Frieden miteinander zu leben?

– Es gibt keinen Krieg zwischen den beiden Religionen. Die französischen Muslime haben das Glück, in einem demokratischen Land zu leben, das ihnen das Recht auf freie Religionsausübung garantiert. Doch vergessen wir nicht, dass Frankreich ein laizistisches Land ist. Das bedeutet, dass keine Religion Staatsreligion ist. Alle Religionen haben ein Existenzrecht, doch keine darf die anderen beherrschen. Religion und Politik wurden Anfang des zwanzigsten Jahrhunderts getrennt.

Ich will dir zum Abschluss noch einen Koranvers vortragen, der die Vermischung und das Zusammenleben aller Menschengruppen preist, das, was wir heute »multikulturell« nennen: »O ihr Menschen, …, wir erschufen euch von einem Mann und einem Weib, und wir machten euch zu Völkern und Stämmen, auf dass ihr einander kennet« (*Sure* 49, *Vers* 13).

– Wir haben Wörter gehört und möchten deren Sinn besser verstehen. Kannst du die erklären?

– Sagt mal?

– INTEGRISTEN.

– Laut Wörterbuch stammt dieses Wort vom spanischen »integrista« ab, was so viel bedeutet wie »Mitglied einer Partei, die will, dass der Staat von der Kirche abhängt«. In diesem Begriff steckt jedoch auch das Wort »integer«, das einen positiven Sinn hat. Eine integre Person ist loyal, prinzipientreu und hält sich an Werte. Das Gegenteil von integer ist korrupt. Ein korrupter Mensch verkauft sich, opfert seine Werte und Prinzipien für Geld oder Interessen.

– Aber was hat denn »Integrist« mit dem Islam zu tun?

– Die extremistischen Muslime selbst benutzen dieses Wort nicht, wenn sie von sich sprechen. Das Wort wurde vielmehr zuerst für christliche Eiferer benutzt, die eine striktere Ausübung ihrer Religion fordern. Zum Beispiel gibt es bei den Katholiken welche, die die Messe in Latein und nicht in anderen Sprachen feiern wollen. Als manche Muslime begannen, einen strengeren, der Epoche seines Entstehens gemäßeren Islam zu fordern, hat die Presse sie als Integristen bezeichnet.

– Wie bezeichnen sie sich denn selbst?

– Sie nennen sich ISLAMISTEN. Untereinander bezeichnen sie sich als »Brüder«. Das stammt noch von der ersten Bewegung dieser Art, die 1928 in der ägyptischen Kleinstadt Ismailia von einem Lehrer namens Hasan Al Banna gegründet wurde und sich MUSLIMBRUDERSCHAFT nannte. Diese Bewegung kämpfte gegen den Verfall der Sitten und gegen den europäischen Einfluss auf die Muslime. Sie stellte sich gegen die nationalistische Partei Ägyptens, die »Wafd«, die Partei Nassers, die sich für ein demokratisches parlamentarisches System einsetzte. Ein führender Muslimbruder, Saijid Qutb, wurde auf Grund der Anklage eines »Komplotts gegen Nasser« verhaftet und gefoltert, zum Tode verurteilt und am 29. August 1966 hingerichtet. In Ägypten und anderen islamischen Ländern entwickelt sich diese Bewegung bis heute weiter. Sie ist gut organisiert und bezieht sich auf zahlreiche, von Saijid Qutb hinterlassene Schriften. Er war ein sehr gebildeter Mann. Wenn man sich die Predigten der Islamisten anhört, begreift man, dass sie versuchen, mit Gewalt eine Lebensweise, Verhaltensregeln und Kleidungsnormen durchzusetzen, mit denen sie den heutigen Zeitgeist ablehnen. Dabei vergessen sie etwas ganz Einfaches: Der Islam entstand vor etwa vierzehn Jahrhunderten. Es gibt in seinen Schriften Dinge, die ewig Bestand haben werden. Daneben aber auch andere Dinge, die sich auf den Zeitpunkt seines Entstehens beziehen und sich nicht auf die heutige Zeit anwenden lassen. Die Islamisten wollen sich in die Epoche des Propheten zurückversetzen und verstehen Mohammeds Botschaft auf sehr eingeschränkte, schematische Weise, wie eine Karikatur.

– Zum Beispiel?

– Die Islamisten wollen nicht akzeptieren, dass die Frau dem Mann ebenbürtig ist. Sie wollen ihr keine Rechte zugestehen und sie nicht über das eigene Schicksal bestimmen lassen. Sie treten für die Verstoßung von Ehefrauen und die Polygamie ein.

– Was ist die VERSTOSSUNG?

– Der Ehemann hat das Recht, eine Scheidung von seiner Frau zu vollziehen, ohne ihre Meinung einzuholen und ohne einen Richter oder Rechtsanwalt einzuschalten. Er geht zu einem Religionsbeamten und bittet ihn, der Frau einen Scheidungsbescheid zukommen zu lassen.

– Aber das ist doch ungerecht!

– Ja, es ist weder gerecht noch menschlich. Zum Glück wird es in einigen islamischen Ländern, die modern sein wollen, gerade geändert. Doch den meisten ist es zur Gewohnheit geworden, den Frauen zu sagen: »Du musst deinem Mann gehorchen, wenn du keinen Mann hast, gehorche deinem Vater, wenn du keinen Vater mehr hast, gehorche deinem Bruder usw.« Frauen dürfen sich zudem nicht auf diese oder jene Weise kleiden. Die Vertreter dieser Richtung beziehen sich auf bestimmte Verse im Koran, die der Frau nicht die gleichen Rechte wie dem Mann zugestehen, oder auf andere Verse, die sie auf ihre Art interpretieren. Ich hoffe, dass die islamischen Länder Maßnahmen ergreifen, damit Frauen nicht länger im Namen des Islam heruntergemacht und verachtet werden. Ich trete dafür ein, dass sie rechtlich die gleiche Stellung wie die Männer einnehmen. Diejenigen, die Frauen schlecht behandeln, vergessen, dass Gott Unrecht und Erniedrigung verabscheut. Sicher haben sie den Koran auswendig gelernt, doch sie erinnern sich nur an die Verse, deren unmittelbarer Sinn zu ihren Vorstellungen passt. Doch der Koran kann auf sehr verschiedene Weise interpretiert werden. Der so genannte »Integrismus« schadet dem Islam und den wahren Muslimen.

– Machen die das bewusst oder sind sie unwissend?

– Halbgebildete Menschen richten den meisten Schaden an.

– Was sind denn Halbgebildete?

– Das sind Leute, die lesen können, aber nicht verstehen, was sie lesen. Sie glauben gelehrt zu sein und sind doch unwissend. Das sind gefährliche Menschen.

– Das zweite Wort ist FUNDAMENTALIST.

– Das ist wie »Integrist«: Es bedeutet, sich auf die fundamentalen, grundlegenden Prinzipien des Islam zurückziehen, als habe sich die Welt nicht weiterentwickelt.

– Das Wort DSCHIHAD.

– Dschihad bedeutet »Anstrengung«. Die Muslime haben es zuerst als »an sich selbst arbeiten«, »den Versuchungen, der Anziehungskraft des Bösen widerstehen« begriffen und benutzt. Dann wurde es als Schlachtruf eingesetzt, als der Prophet von den Bewohnern Mekkas, die nicht an seine Botschaft glaubten, bedroht und verfolgt wurde. Nach dem Tod des Propheten breitete sich der Islam durch Kämpfe und Eroberungen aus. Im elften Jahrhundert, zur Zeit der Kreuzzüge, als die Christen gegen die Muslime in den Krieg zogen, erklärten diese den Dschihad, den Kampf gegen die Angreifer, um sich zu verteidigen. Heute hat dieses Wort keinen Sinn mehr, denn der Islam breitet sich mit friedlichen Mitteln weiter aus und es gibt keine wirkliche Bedrohung gegen ihn. Also gehen diejenigen, die das Wort heute benutzen, widersinnig vor. Sie sind es, die versuchen, anderen Angst und Schrecken einzujagen.

– Das Wort FATWA.

– Das stammt ab vom Wort »fata«, diktieren. In diesem Zusammenhang bedeutet Fatwa eine religiöse Anordnung, doch diese Anordnung hat keineswegs Gesetzeskraft. Aussprechen kann sie, wer den Koran gut kennt, ein Spezialist, ein Religionslehrer. Doch es ist Missbrauch, eine Fatwa zum Beispiel mit einem Todesurteil für einen Muslim auszurufen, der Dinge gesagt oder geschrieben hat, die man unannehmbar findet. Im Islam ist die Fatwa weder ein Gesetz noch ein Dekret, das man anwenden muss.

– SCHARIA.

– Das ist ein Verhaltenskodex, Sittenregeln, die die Ältesten der Religion auf der Grundlage des Koran und der Worte des Propheten aufgestellt haben. Für manche Muslime sind es nicht nur moralische Regeln, sondern es ist ein gesetzlicher Rahmen, der in ihrem Alltag eingehalten werden muss. Doch auch die Scharia ist nicht obligatorisch. Nicht alle islamischen Länder wenden sie an. Viele Staatsmänner sehen sie als einen Rückschritt, der mit dem Recht und dem modernen Leben unvereinbar ist.

– TOLERANZ.

– Tolerieren bedeutet ertragen, akzeptieren. Konkret heißt das: Ich bin zwar nicht wie du, gehöre deiner Religion nicht an, komme nicht aus deinem Land, bin nicht mit deinem Denken einverstanden, doch ich akzeptiere, dass du neben mir lebst, deine Religion ausübst, deine Sprache sprichst und deinen Gedanken frei anhängst. Im Gegenzug musst auch du mich in meiner Andersartigkeit akzeptieren. Toleranz macht nur Sinn, wenn sie gegenseitig ist. Intoleranz besteht darin, Andersartige nicht zu akzeptieren und sogar abzulehnen. Sie ist eine Wurzel des Rassismus.

– Muss man alles tolerieren?

– Nein, man darf gerade Rassismus und Erniedrigung nicht hinnehmen.

– Was ist ERNIEDRIGUNG?

– Jemanden erniedrigen heißt, ihn beschämen, ihm seine Menschlichkeit absprechen, seine Würde und seinen Stolz. Es bedeutet auch, ihn in seiner Eigenheit verletzen, ihm wehtun und ihn ungerecht behandeln.

– Ist der Islam eine tolerante Religion?

– Jede Religion versucht die Menschen davon zu überzeugen, dass sie einzigartig ist und als Einzige Recht hat. Doch wer die Heiligen Schriften wie den Koran liest, merkt, dass der Islam weder Krieg mit den Juden noch mit den Christen sucht. Der Islam erkennt die anderen Religionen und ihre Propheten an und ist daher tolerant. Ich zitiere dir drei Verse, die den toleranten Charakter des Islam belegen: Sure 2, Vers 256: »Es sei kein Zwang im Glauben.« Das heißt, man darf die Menschen nicht zwingen, sich zum Islam zu bekehren. Die Muslime darf man nicht zwingen, sich an die von einem Obersten zwangsweise auferlegten Regeln zu halten. Sure 109, Vers 6: »Euch Euer Glaube und mir mein Glaube.« Das ist klar, wie über Geschmäcker und Farben lässt sich auch über Glaubensfragen nicht diskutieren. Man muss den Glauben des jeweils anderen respektieren. Sure 28, Vers 56: »Du kannst nicht (einfach) rechtleiten, wen du (persönlich) gern magst … Gott ist es vielmehr, der rechtleitet, wen er will.« Der Text ist eindeutig: Der Islam zwingt niemanden, an seine Botschaft zu glauben. Jeder hat das Recht auf seine Überzeugungen, seinen Glauben, die respektiert werden müssen, wie auch er den Glauben der anderen respektieren muss. Kein Mensch hat das Recht, an Gottes Stelle anderen Gläubigen Befehle zu erteilen. Das bedeutet also, dass die selbst ernannten islamischen Religionsführer irren. Im Islam gibt es keine verfasste Geistlichkeit, keinen Zwischenträger zwischen Gott und den Menschen, es gibt weder Priester noch Rabbi wie in den anderen Religionen. Es gibt auch keinen Papst, das heißt keinen Oberhirten, keinen Vertreter Gottes auf Erden. Es gibt Imame, das sind gebildete Leute, die dem Gebet vorstehen und die Freitagspredigt halten. Der Imam hat eine moralische Autorität, aber er spielt nicht die Rolle eines Priesters, Pastors oder Rabbi.

Wie die anderen Religionen hat auch der Islam seine Fanatiker, das heißt Leute, die es nicht ertragen, dass andere anders denken oder glauben als sie. Sie sind eine Minderheit. Leider sind sie sehr aktiv und richten viel Schaden an. Sie schaden den Muslimen und auch den Nichtmuslimen. Sie handeln im Namen des Islam, doch oft sind es Analphabeten, die die Schriften nicht studiert haben, oder aber es sind intelligente Leute, die den Islam aus Eigeninteresse zur Verbreitung ihrer politischen Propaganda benutzen. Das sind die berühmten »Halbgebildeten«. Ein tunesischer Dichter hat gesagt: »Der Islam hat seine Krankheiten.« Wir leiden gerade unter ihren Folgen. Damit kommen wir zum Beginn unserer Unterhaltung zurück, zu den Attentaten vom 11. September 2001 gegen die Amerikaner.

– Aber warum haben die das gemacht?

– Weil sie denken, die Amerikaner seien schuld am Unglück mancher arabischen und islamischen Bevölkerungen. Weil ihre sich als Weltverbesserer und Rächer aufspielenden Führer sie in die Irre geleitet haben, weil sie auf dem falschen Weg sind und es nicht zugeben wollen. Die gleichen Führer haben sie bearbeitet und ihnen Zweifel und Denken ausgetrieben. Man hat ihnen gesagt, Gott liebe Märtyrer und belohne sie mit dem Paradies. Weil sie keine Erziehung zur Toleranz genossen haben, damit sie die Gedanken und Kulturen anderer achten. Nie hat der Islam Hass, Verbrechen und Selbstmord gelehrt. Im Gegenteil, er stellt diese Vergehen unter strenge Strafen.

– Was ist ein MÄRTYRER?

– Einer, der auf dem »Wege Gottes« in den Tod geht. Ein Märtyrer ist ein Muslim, der im Namen des Glaubens stirbt, bei der Verteidigung des Islam, wenn der angegriffen wird, bei seiner eigenen Verteidigung, wenn er als Muslim bekämpft wird, bei der Befreiung seines Landes von Fremdherrschaft. Es gibt zwei arabische Wörter, um einen Märtyrer zu bezeichnen: »Fidaji« (der sein Leben gibt) und »Schahid« (der Zeugnis ablegt). Gott verspricht dem Märtyrer das Paradies.

– TALIBAN.

– Das arabische Wort »talaba« bedeutet fordern, ein Taleb ist jemand, der nach Wissen und Studium verlangt. Das Wort Taliban bezeichnet aber nicht Studenten, sondern eine religiöse Bewegung, die in Afghanistan entstanden ist und sich durch ihren Hass auf Frauen und Kunst auszeichnet. Die Taliban terrorisieren die Frauen, verbieten ihnen den Schulbesuch, die Arbeit als Beamtinnen, jeglichen Sport, die Musik. Wenn die Frauen krank werden, dürfen sie nicht behandelt werden. »Unmoralische« Frauen werden gesteinigt, untreue Ehefrauen lebendig begraben … Die Taliban begehen auch andere barbarische Dinge: Sie hacken Dieben eine Hand ab und richten ohne Gerichtsurteile zum Tode Verurteilte in Stadien hin. Sie kennen ein paar Verse aus dem Koran, aber die meisten von ihnen können weder lesen noch schreiben. Doch sie begehen all ihre Gräuel im Namen des Islam!

– Die sind doch verrückt!

– Ja, sie sind verrückt und gefährlich, unwissend und barbarisch. Sie kennen weder den Islam noch seine Zivilisation. Wenn wir es zulassen, werden sie diese Kultur endgültig zerstören.

– Stimmt es, dass der Islam die Malerei verbietet?

– Nein, das ist nicht wahr. Es ist verboten, Gott oder den Propheten Mohammed darzustellen. Man darf ihre Gesichter nicht zeichnen. Gott ist ein Geist. Wie soll man ihn darstellen? Bei Mohammed ist sein Geist das Wesentliche. Man kann ihn nicht verkörpern. Aber man kann sonst jeden und alles darstellen. In Persien gibt es eine wunderbare Tradition von Malerei und Zeichnungen, überliefert sind unter anderem Miniaturmalereien aus alten Manuskripten.

– Jetzt verstehe ich! Es gibt einmal den Islam und zum anderen die Muslime. Manche haben die Botschaft des Propheten verstanden, andere weniger oder sie tun nur so, als hätten sie es begriffen, aber sie wollen zurück in die Steinzeit. Doch meinst du nicht, man könnte manches im Islam verändern?

– Wir leben in einem modernen Zeitalter und du möchtest also, dass sich der Islam dem modernen Leben anpasst. Da hast du Recht. Doch die Leute, die die Dinge positiv verändern wollten, wie zum Beispiel die Lage der Frau verbessern, stoßen auf große Schwierigkeiten. Wie in den anderen Religionen gibt es im Islam ewig währende Dinge und andererseits solche, die nur vorübergehend gültig sind, die für eine Epoche zutreffen, aber nicht auf alle Epochen anwendbar sind. Das Problem besteht nun darin, dass manche meinen, alles sei ewig gültig, nichts dürfe sich verändern, und andere sagen, dass man diese Religion der heutigen Zeit anpassen kann. Aber wir schaffen es ja nicht mal, die Freiheit in manchen islamischen Ländern einzuführen, wie können wir da an die Religion rühren! Ich habe dir ja schon gesagt: Am wichtigsten und dringlichsten ist jetzt, die Religion von der Politik zu trennen. Solange sich die Herrschenden auf die Religion stützen, werden wir weiterhin Probleme haben, und Krankheiten wie der Fanatismus werden sich weiter ausbreiten samt ihren Folgen: dem Terrorismus und der Unwissenheit.

– Wie das?

– Wie die anderen Religionen ist auch der Islam der Gleichberechtigung der Frau nicht sehr zugeneigt. Sie wird als minderwertig angesehen. Heute breitet sich in den islamischen Gesellschaften der Drang zur Weiterentwicklung aus. Bei alldem vergisst man, dass Chadidscha, die erste Frau des Propheten, eine Geschäftsfrau war, eine Händlerin, die einen Männerberuf ausübte. Man könnte sich zum Beispiel auf ihren Status, ihre Rolle beziehen, um Reformen zur Situation der Frau einzuführen. Der Islam verbietet keine Gesetze zur Frauengleichberechtigung, aber die Männer haben Angst davor, gleiche Rechte einzuführen. Nur Tunesien hat seine Gesetze geändert, damit sich die Frauen besser verteidigen können. In Saudi-Arabien dürfen Frauen nicht einmal Auto fahren. Die Frauen in Afghanistan haben unter den barbarischsten Gesetzen zu leiden, denen der Taliban. Doch die Taliban haben den Islam überhaupt nicht verstanden und ihn derart verunstaltet, dass die ganze islamische Gemeinschaft darunter leidet. Sie haben jahrhundertealte buddhistische Statuen zerstört, die dem Weltkulturerbe angehörten.

– Aber was können wir denn tun?

– Wir müssen die Unwissenheit bekämpfen. Sie macht die Menschen fanatisch und intolerant. Es gibt nichts Gefährlicheres als jemanden, der nichts weiß und alles zu wissen glaubt. Zum Glück organisieren sich die islamischen Frauen und fordern ihre Rechte. Es gibt noch viel zu tun, bis Gerechtigkeit herrscht.

– Wie kann man denn kämpfen?

– Man muss in der Schule anfangen. Die Mädchen müssen bis zum Abschluss in die Schule gehen können, wir müssen verhindern, dass sie in der Pubertät aus den Schulen genommen werden. Die arabischen und islamischen Länder sollten auch die Schulbücher überarbeiten und einen Platz schaffen für Toleranz, Menschenrechte für Männer wie Frauen, Erinnerung an große islamische Gelehrte, die die Weltzivilisation vorangebracht haben. In den Büchern dürfen keine Beispiele mehr stehen, die bornierte Haltungen verstärken oder einem Kind einimpfen, es sei normal, dass ein Mann seine Frau schlägt, dass die Frau zu Hause bleibt, während der Mann arbeitet usw. Der Islam muss genau wie die anderen Religionen unterrichtet werden, seine Verbreitung hat mit Hilfe von Kriegen stattgefunden, und das sollte ehrlicherweise zugegeben werden. Es sollte auch vom Wandel der Zeiten die Rede sein und dass wir nicht mehr leben wie die Menschen zu Zeiten Mohammeds. Anders gesagt, man kann Mohammeds Botschaft achten, an Gott glauben und sich dennoch weiterentwickeln, das heißt sich an das moderne Leben anpassen, ohne seinen Glauben, seine Prinzipien und seine grundlegenden Werte aufzugeben. Den Schülern müssen wir alle Mittel in die Hand geben, sich eine eigene Meinung zu bilden. Es ist wesentlich, einem Kind die Freiheit zuzugestehen, nicht von dieser oder jener Religion indoktriniert zu werden. Es handelt sich also um eine umfassende Aufgabe, aber irgendwo muss man ja anfangen. Und das haben wir hiermit getan. Ich gebe euch jetzt noch eine Liste von Wörtern und ihr werdet mir sagen, was sie verbindet.

In alphabetischer Reihenfolge:
Aprikose, Alkohol, Algebra, Algorithmus, Almanach, Amalgam, Admiral, Amulett, Artischocke,
Baldachin, Banane, Barock, Benzin, Bergamott, Bluse,
Chemie,
Dame, Diwan, Droge,
Eden, Estragon,
Fanfare, Felluke,
Gala, Gazette, Giraffe, Gitarre,
Haschisch, Havarie,
Jasmin, Jacke,
Kabel, Kaffee, Kaliber, Kamelie, Kampfer, Karaffe, Karawane, Karussell, Kuppel,
Lack, Lila, Limonade, Laute,

Magazin, Matratze, Mohair, Mumie, Mousselin, Mulatte,
Orange,
Racket, Risiko, Reis,
Sacharin, Safari, Safran, Saphir, Satin, Scheck, Smaragd, Sofa, Sorbet, Spinat, Schach,
Talk, Talisman, Tarif, Troubadour,
Watte,
X,
Ziffer, Zenit, Zucker.

– Wir verstehen die Wörter nicht alle und wissen daher nicht, was sie verbindet.

– Dies sind nur ein paar von den Wörtern, die aus dem Arabischen abgeleitet sind. Es gibt noch mehr, ich habe sie nicht alle aufgeführt. Heute werden sie in verschiedenen Sprachen benutzt, und nur wenige Leute wissen, woher sie stammen.

– Und das »X« ist auch arabisch?

– Merkwürdigerweise gibt es diesen Buchstaben nicht im arabischen Alphabet, aber die arabischen Mathematiker nannten eine Unbekannte »Schai« (Ding), abgekürzt »Sch«. Im Altspanischen entspricht das Zeichen »X« dem Laut »Sch«.

– Du weißt aber viele Dinge!

– Ganz einfach, ich habe die Wörter alle im Wörterbuch gefunden! Zum Abschluss zitiere ich euch zwei Sätze des Propheten Mohammed. Man nennt solche Sätze »Hadithe«:

»Von der Wiege bis zur Bahre sollst du nach Wissen forschen, denn wer Wissen sucht, verehrt Gott.«

»Das Studium der Wissenschaft ist gleichwertig mit dem Fasten, Wissenschaft verbreiten entspricht dem Gebet.«

Der Prophet sah also das Lernen und Lehren als genauso wichtig an wie zwei Pfeiler des Islam, das Fasten im Ramadan und das tägliche Gebet.

BILDNACHWEIS

Seite 4:
Ansicht von Kairuan, 1914, 73
8,4 × 21,1 cm
Aquarell und Bleistift auf Papier und Karton
Von der Heydt-Museum, Wuppertal

Seite 14:
St. Germain (mit d. jung. Palme), 1914, 40
21,1 × 27 cm
Aquarell auf Papier auf Karton
Privatbesitz, USA

Seite 28:
Blick zum Hafen von Hammamet, 1914, 35
21,5 × 27 cm
Aquarell auf Papier
Privatbesitz, Schweiz

Seite 40:
Arabische Stadt, 1922, 29
31,7 × 20,3 cm
Ölpause und Aquarell auf Gipsgrundierung auf Gaze auf Karton
Privatbesitz, Österreich

Seite 48:
Straßenkaffee in Tunis, 1914, 55
9,5 × 21,5 cm
Aquarell und Bleistift auf Papier auf Karton
Privatbesitz, Deutschland

Seite 58:
Motiv aus Hammamet, 1914, 48
20,3 × 15,7 cm
Aquarell und Bleistift auf Papier auf Karton
Öffentliche Kunstsammlung Basel, Kupferstichkabinett

Seite 72:
Kairuan, vor dem Thor, 1914, 72
13,5 × 22 cm
Aquarell und Bleistift auf Papier auf Karton
Moderna Museet, Stockholm

Seite 82:
Tempel, 1921, 119
14 × 31,5 cm
Ölpause und Aquarell auf Papier auf Karton
Privatbesitz, Schweiz

Seite 92:
Zwei orientalische Aquarelle, 1914, 56
a) 8 × 7,3 cm, b) 7 × 8,7 cm
Aquarell und Bleistift auf Papier, zerschnitten und neu kombiniert auf Karton
Privatbesitz, Schweiz

Foto: Isolde Ohlbaum

Tahar Ben Jelloun wurde 1944 in Fés, Marokko, geboren, lebt in Paris. Er gilt als bedeutendster Vertreter der französischsprachigen Literatur des Maghreb. 1987 wurde er mit dem Prix Goncourt für seinen Roman *Die Nacht der Unschuld* ausgezeichnet. Auf Deutsch erschien von ihm zuletzt der Roman *Das Schweigen des Lichts* (Berlin Verlag, 2001).

Papa, was ist ein Fremder. Gespräch mit meiner Tochter (1999), wurde ein internationaler Bestseller. Für dieses Buch wurde der Autor mit dem europäischen *Preis der Künstler für den Frieden* und dem *Global Tolerance Award* der UNO ausgezeichnet.

Die Originalausgabe erschien 2002 unter dem Titel
L'islam expliqué aux enfants
bei Édition du Seuil, Paris
© 2002 Tahar Ben Jelloun
Für die deutsche Ausgabe
© 2002 Berlin Verlag, Berlin, ein Unternehmen
der Verlagsgruppe Random House GmbH
Alle Rechte vorbehalten
Umschlaggestaltung:
Nina Rothfos und Patrick Gabler, Hamburg
Gesetzt aus der DeepdeneBQ
durch psb, Berlin
Druck & Bindung: Clausen & Bosse, Leck
Printed in Germany 2002
ISBN 3-8270-0472-1